THE SCULPTURE OF ANCIENT MEXICO

LA ESCULTURA DEL MEXICO ANTIGUO

594

PAUL WESTHEIM was born in Germany in 1886. He studied art history under Heinrich Woelfflin and Wilhelm Worringer and is author of several works on the subject of art. He has been editor of a series of books on art, entitled *Orbis Pictus*, and two art magazines, *Das Kunstblatt* and *Die Schaffenden*. From 1933 to 1940 he lived in Paris and since 1941 in Mexico where he has devoted himself to research on an aesthetics of ancient Mexican art. In Mexico he has published the following works: *Arte antiguo de México* (The Ancient Art of Mexico), *Ideas fundamentales del arte prehispánico en México* (Fundamental Ideas in the Pre-Hispanic Art of Mexico), *La calavera* (The Skull), *La escultura del México antiguo* (The Sculpture of Ancient Mexico), and *La cerámica del México antiguo* (The Ceramics of Ancient Mexico).

PAUL WESTHEIM nació en Alemania en 1886. Estudió historia del arte. Discípulo de Heinrich Woelfflin y Wilhelm Worringer. Autor de varias obras sobre temas artísticos. Dirigió la publicación de una serie de libros de arte, titulada "Orbis Pictus", y dos revistas de arte, "Das Kunstblatt" y "Die Schaffenden". Vivió en París de 1933 a 1940. Desde 1941 reside en México, donde se ha consagrado a investigaciones en torno a una estética del arte antiguo de México. Publicó en México los siguientes libros: "Arte antiguo de México", "Ideas fundamentales del arte prehispánico en México", "La calavera", "La escultura del México antiguo", "La cerámica del México antiguo".

The Sculpture of Ancient Mexico

La escultura del México antiguo

PAUL WESTHEIM

———

Translated from Spanish into English
by Ursula Bernard

Translated into Spanish from the original German
by Mariana Frenk

Traducido del español al inglés
por Ursula Bernard

Traducido al español del original en alemán
por Mariana Frenk

———

ANCHOR BOOKS
DOUBLEDAY & COMPANY, INC.
Garden City, New York, 1963

LA ESCULTURA DEL MEXICO ANTIGUO was first published in Spanish by the Universidad Nacional Autónoma de México.

LA ESCULTURA DEL MEXICO ANTIGUO fue publicado originalmente en español por la Universidad Nacional Autónoma de México.

Anchor Books edition: 1963

Library of Congress Catalog Card Number 63–7697
Copyright © 1963 by Paul Westheim
All Rights Reserved
Printed in the United States of America
First Edition in the United States of America

CONTENTS

Unless otherwise indicated, the works that belong to the National Museum of Anthropology, Mexico, are reproduced from photographs placed at my disposal by that institution. It is my pleasant duty to thank the Museum for the generous assistance it has extended in the preparation of my book.

P.W.

Las obras que son propriedad del Museo Nacional de Antropología están reproducidas—si no se indica otra cosa —a base de las fotografías puestas por éste a mi disposición. Considero un grato deber agradecer al Museo en este lugar la generosa ayuda que con ello ha prestado a mi libro.

P.W.

Other books by the same author include:

Lehmbruck. Potsdam, 1919
Oskar Kokoschka. Potsdam, 1920; 2nd ed., Berlin, 1925
Arte antiguo de México. Mexico, D. F., Fondo de Cultura
     Económica, 1950
La calavera. Mexico, D. F., 1953
Ideas fundamentales del arte prehispánico en México.
     Mexico, D. F., Fondo de Cultura Económica, 1957
Tamayo. Mexico, D. F., 1957
Die Kunst Altmexikos, in: *Illustrierte Weltkunstgeschichte*,
     Zurich, 1960
Der Zeichner Kokoschka. New York, 1961
La cerámica del México antiguo. Mexico, D. F., Univer-
     sidad Nacional Autónoma, 1962.

THE SCULPTURE OF ANCIENT MEXICO

Fundamentally, sculpture impresses only on its highest level.

GOETHE

The theme of Greek art during its classic period is man, man the beautiful. Under the influence of the philosophers, the mythical figures of the pre-Homeric gods become beings in the image and likeness of man, superior to mortals, if at all, in one aspect only: immortality. In the words of Protagoras, man is "the measure of all things." Religion and art are intellectualized, seized by reason, thanks to which Greek philosophy achieved its basic insights. In his *Treatise on the Sublime,* Longinus laments that the gods have been degraded to the level of men. While archaic art with its hieratically austere cubico-geometric style, saturated with Asiatic and Egyptian traditions, aspires to the superhuman and the monumental (the Hera of Samos, the Apollo of Tenea), the fifth century B.C. reveres the figures of athletes (Myron's *Discus Thrower,* Polycleitus' *Amazon*) an imitative art in which we admire the observation of the physical phenomenon idealized in conformity with Greek canons. This turn to worldliness that takes place in art is at the same time its humanization, and explains the great attraction of Hellenic classicism for the Western world whose artistic ideal, except during the religiously determined Romanesque and Gothic epochs, has always been the glorification of the human body.

1

Myth, the measure of all things in the world of ancient Mexico, assigns a very modest place to man. According to the Popol Vuh[1], the gods created man in order that he might adore them, in order that his offerings (his heart and his blood) might feed them and maintain their strength, indispensable to the exercise of their functions. Man is a humble servant of the gods, or, rather, their aide in the gigantic task of sustaining the cosmic order through which the community and he himself exist. To collaborate with the gods in preventing chaos—this is the true meaning of his existence. The theme of art—to use a term familiar to us, but unknown in ancient Mexico—is the interpretation of myth; its purpose, the creation of images of the gods and of objects required by the cult. Man is great only insofar as his work is in accordance with the divine plans. There is no inducement for glorifying him, for exalting his person, his deeds, the historical events in which he is a protagonist. In the classic cultures of Mexico, whose mythico-religious conceptions are contained in the Tonalámatl[2], his image does not appear, or it appears only in exceptional cases, when it is a matter of attesting to the greatness and omnipotence of the gods. Thus they represent the ball player, whose superiority as an athlete gives him the right to die gloriously on the sacrificial stone, to carry the message of the community to the gods, and to be accepted into their entourage. This is seen in the reliefs of Tajín. Unmistakable in his attire, he appears as the beheaded victor on two Totonac steles—ball-game markers from Aparicio in the State of Veracruz, Mexico. From his

[1] The Popol Vuh is the sacred book of legends of the Quiche Maya Indians of Guatemala. It describes the origin of the world according to Quiche myth, the creation of man, and the feats of mythical heroes. [Translator]

[2] Tonalámatl, or "book of days," designates books of hieroglyphics that contained the calendar, tonalpohualli, or twenty thirteen-day periods. Priests and divines also referred to the tonalámatl to cast horoscopes for newborn babies, to determine which days were propitious for merchants to undertake journeys, business ventures, etc. [Translator]

2

throat issue seven crawling snakes that signify streams of blood, the blood shed in sacrifice.

The gods of ancient Mexico are incarnations of the forces of nature and, like them, terrible, destructive, demoniacal. They are horrifying and great, but they are not beautiful. Their images seek to arouse not aesthetic emotion but religious furor, that religious furor that draws man to the sacrificial stone. To represent the deities as handsome human beings would reduce them to the earthly, remove them from the divine sphere, deprive them of those magico-mythical powers that separate them from human reality. In ancient Mexico, a degradation of the gods such as Longinus protested against would not have been possible because the fount of its religious fantasy never ran dry, the experience of the irrational never ceased to fascinate. Considering the exorbitant proportions that human sacrifice reached among the Aztecs in the last decades before the Conquest, we may infer that the furor and the fantasy became increasingly intense.

The goal of ancient Mexican art is to give expression to the inexplicable, to that which the senses cannot grasp; to give expression to magic intuitions, to religious conceptions. By its very nature it is an imaginative and expressive art.

* * * * *

The artistic discovery of ancient Mexico is a recent phenomenon. It began only a few years ago when a change took place in the knowledge and judgment of those gifted with a sensibility for plastic values, a change that converted into artistic experience what had previously been an interesting document from a remote ethnological past. We are now discovering the originality and greatness of those works, the visionary power and the artistic talent of a humanity rooted in religion and lacking understanding of the material and technical aspects of life. No longer do we ask merely *what* is represented, from which region it comes, from what period it dates—questions of undeniable importance for a knowledge of the historical development

3

of those cultures; but we are also and especially interested in the manner in which it is represented. We know that we must penetrate to more profound strata, to those spiritual, psychic, religious, and sociological depths where the form is engendered. To take a present-day example, the skyscrapers of the United States, the Soviet Union, and Mexico belong to the same cultural horizon and are a phenomenon characteristic of our century, but the ideological and social hypotheses in these three countries are completely different, and without a knowledge of these hypotheses we can only establish the fact without affirming anything positive concerning its meaning and significance. With regard to the creations of ancient Mexico, it is necessary to recognize the conception of the world and the creative intentions from which that conception springs. It is no longer enough to know that the Coatlicue is the greatest work of Aztec art; we must strive to understand the peculiar mentality expressed in this symbolic, frightful, and sublime creation. We want to know why this ecstasy in things religious is characteristic of the Aztec world and inconceivable within the art of Teotihuacán or of Tula, which nevertheless were the models the Aztecs admired. We try to find an explanation as to why the capricious and fantastic baroquism of the Mayan altars of Copán and Quiriguá does not and cannot exist on the Central Plateau. How, from what mental attitude, could the stepped fret, the most singular ornamental form of all time, be converted into the typical ornament of the Central Plateau (and also of Peru)? How was that strange ensemble of forms born? What does it signify? The frets of Mitla develop as an elegant, cursive script; those of Tajín display a graphism of classic type and perfection. In both cases there is a desire for a monumental effect. Why is it manifested in such distinct forms? What is the difference in the spiritual attitude that is so clearly translated in art—of what does it consist? It is discovered that the skull, a common motif in Mexican plastics, is not the macabre *memento mori* of Western civilization; that, being the fruit of a radically different attitude toward life and death, it also

4

has a radically different meaning, and that in order to understand it we must take that dissimilar attitude as a point of departure.

Two factors have made possible the resurrection of ancient Mexico as an artistic phenomenon: first, a deeper understanding of the historical evolution, a more exact knowledge of the structure and horizons of the different epochs, following the important archaeological investigations, and, second, a change of direction in the aesthetic conscience, its emancipation from the norms and standards established by the nineteenth century with its exclusive orientation toward classic and classicist European art. Even Jacob Burckhardt, surely one of the most comprehensive minds of that century, was so convinced that art is synonymous with the Raphaelesque type of ideal beauty that he wrote of Michelangelo, in the first edition of *Cicerone* (1855): "Well then: he who demands of art sensible beauty primarily will not be satisfied by that Prometheus, with its figures taken from the dream world of (often extreme) possibilities. . . . His [Michelangelo's] ideals of form can never be ours. Who would wish that his feminine figures, for example, would come to life! . . . There are certain members and proportions that he almost never models in their normal forms: the height of the trunk, the neck, the forehead, and the bones of the eye socket, the chin, etc. . . ." (In the later editions of *Cicerone*, a widely known work, the new editor eliminated such passages as these in which the classicist Burckhardt rejects the baroque, branding it as mannerist.) This lack of understanding for Michelangelo in such a great historian of art and culture is certainly an extreme case. But typical here is that attitude which does not start with the work itself, with the artist's creative intentions and conception, but with an aesthetic doctrine,[3] i.e., with a prejudice which sees a work of art's value and significance in the reproduction of "sen-

[3] In the first half of the seventeenth century, Pascal said: "What folly to admire in art objects whose models would not be admired!"

5

sible beauty" and in the balanced harmony of classical art. How startled Burckhardt would have been to imagine Coatlicue descending from her pedestal and coming to life!

We may certainly consider as antiquated that aesthetics which wishes to see confirmed in a work of art the true experience of "sensible beauty," which in the presence of such a work experiences a feeling of *Einfühlung* (empathy), to use the term coined by Lipps. Wilhelm Worringer, in *Abstraction and Empathy*, has already refuted it in saying: "With the theory of *Einfühlung* we are perplexed by the artistic creations of many epochs and peoples. It absolutely does not help us to understand, for example, all the immense complex of works of art that do not fall within the narrow framework of Greco-Roman art and of modern Western art. . . . All our judgments on the artistic products of the past suffer from this one-sidedness. . . ." But that traditional "one-sidedness" inculcated on various generations continues to determine the criterion of many, precisely of those who possess some knowledge in the field of art, some aesthetic preparation, and for whom the grandiose expressivity of Coatlicue means nothing because it lacks the sensible beauty of the Venus de Milo. What distinguishes the Coatlicue from the Venus de Milo is not only its artistic style, but above all the different concepts that the Greeks and the Aztecs held of the deity. As a consequence of the distinct metaphysical experience, the artistic conception from which these works spring is also different. Xipe, with the skin of a sacrificial victim hanging from his shoulders, is not a handsome adolescent meant to bring aesthetic enjoyment to the spectator. It is the plastic configuration of a magico-religious concept. The victim's skin symbolizes the rejuvenation of nature, the new vestments which the earth dons in springtime, the new verdure of the cornfields, of the corn plants which are beginning to bud.

We must realize that ancient Mexican art does not represent concrete objects and events, but that it incarnates metaphysical ideas, representations, and concepts. The monumental serpent was not conceived and created in order to reproduce the physical phenomenon of the animal, nor to serve as mere decoration. For the creator as for the viewer it was a sacred symbol. The eagle incarnates Huitzilopochtli; the jaguar is Tezcatlipoca; the plumed serpent, an invention—may I say a surrealist invention—of a religious imagination, is Quetzalcóatl. They are incarnations, "substitutive symbols" of the deities, which appear, act, and are venerated in these forms. The real phenomenon, caught with astonishing capacity for the observation of nature—demonstrated especially in Aztec animal sculpture—undergoes a metamorphosis in the conscience of the man of magic thinking: it receives a symbolic meaning from the metaphysical. And to separate the created object from the real phenomenon, all the means of an imaginative expressionism are employed. In these works the degree of realism resorted to or preserved in the process of transmutation is not important. What is important is the intensity with which the new meaning, the religious symbolism, is expressed. Paolo Uccello, painter of the Louvre's celebrated *Cavalry Battle,* author of a treatise on perspective, writes: ". . . Therefore, the painter will paint the world as he sees it and not as it is." This is the concept ruling the artistic creation of Western civilization from the end of the fourteenth century until, let us say, impressionism. The pre-Cortesian artist did not concern himself with the appearance of things, which he considered futile and insignificant. For him the essential lay in the meaning hidden within the phenomenon. His goal was to represent the world "as it is"—as it was, *i.e.,* according to his conceptions.

The reality of ancient Mexico was the myth. In it and through it all phenomena were explained. To interpret the actions of the gods, their meaning and significance for the community, was the duty of science, that science which the Tonalámatl summarized in the signs of its pictographic script.

It was the duty of art to convert that knowledge of divine life, functions, and acts into the experience of the community. In accordance with the goal of that art, trans-

7

lating religious conceptions into a plastic language, its mode of seeing is a visionary one. And in the presence of such works, the degree of exactness with which the optically perceptible has been grasped is of no interest. In order to discover the monumentality and delicacy of pre-Cortesian creations, their vigor and plastic perfection, in short, their high artistic worth, it was necessary that the new aesthetics—to which corresponds a new art, that of this twentieth century—rebel against the exclusive domination of standards valid only for a special sector of European art, that it return to the sources of the creative impulses expressed in the work, and that it adopt as the deciding norms of artistic judgment the "value of the essence" of the form and the will to art.

* * * * *

In ancient Mexico, art is one of the media that the cult uses and needs: applied art, therefore, and in a community whose existence revolves around faith and observation of the rites, a social necessity, a collective necessity of vital importance.

The artist is a member of the clergy. The execution of a work of art was surrounded by mystery. According to Landa in his *Relación de las cosas de Yucatán*, the creators of the images of the gods were kept in isolation during their work, confined to huts intended exclusively for this purpose, where no one was allowed to see them. They were subjected to a particular ritual: to burn copal, to extract their own blood as an offering, to fast, and abstain from sexual intercourse. Any transgression of this rule was considered a serious crime and a grave peril. Landa writes that, while being wrought, the images of the gods were sprinkled with blood and incensed with copal. In many statues we find in the center of the chest a semicircular hole in which the heart (of gold or jade) had been placed. Only after the heart was in place, inserted in solemn ceremony, was the image considered divine.

The magic force acting in the work conferred significance and value upon it. The artist was an agent of the

8

community. As a person, he lacked importance. We do not know the name of a single master from the three milleniums that pre-Cortesian art approximately encompasses. The prestige of the artist, his longing for glory among his contemporaries and for posthumous fame, his zeal for originality, his aspiration for material success—all of which in artistic worlds closer to us constitute a powerful incentive and which so frequently lead to a fatal striving for effect and a corruption of art—could not exist in ancient Mexico where the production of works of art was part of the cult.

Of the artistic conceptions of pre-Hispanic Mexico, we know only what we are told by its creations that the soil has faithfully preserved for us. Just as in archaic Greek art, and perhaps in an even more marked form, there is manifest in these works a tendency toward the hieratic and the monumental, an eagerness to raise the work from the sphere of the profane into that of the sublime and the significant—in the case of pre-Hispanic art, toward the sphere of the mythologically and religiously significant. After the Persian wars, a rationalism arises in Greece which more and more displaces religious fantasy and which sees the artistic value of a work in its capturing of the physical and the material. In the plastics of ancient Mexico, on the other hand, an inverse evolution can be shown. Not only is there no such weakening of the inspired imagination, but rather the religious ecstasy toward which the pre-Cortesian peoples' thought—including artistic thought—tends, indeed increases in intensity. Coatlicue belongs to a late epoch immediately prior to the Conquest, while in the majority of the creations of pre-classic cultures and Tarascan art a marked realism predominates, a realism that starts with the observation of the physical phenomenon and does not aspire to anything more. This is because the metaphysical conceptions expressed in the works of the classic cultures were not yet developed and, therefore, could not determine the artistic creation. This explains why going beyond the natural form, transmuting it into cubico-

9

geometric elements, would be considered more elevated, "progress."

* * * * *

The artist of pre-Hispanic Mexico does not reproduce realities; he creates symbols. In contrast to an artistic attitude whose ideal is the analysis of the perceptible, the creation of symbols attempts to find an explanation for the phenomena of reality, an orientation in the universe that enables man to understand the incomprehensible: reality. (The German language has, besides the word "*Symbol*" [symbol], the word "*Sinnbild*" [image of the meaning].) The variety of phenomena is chaotic; it disconcerts and alarms man. But it is inconceivable—both to primitive man and to the philosophic spirit—that the universe be no more than chaos, an absurd game of forces acting at random. There must be an order and a unity: it cannot be otherwise. The natural sciences of our age have discovered the key to the cosmos in the energies that operate within matter; in matter, which is energy. Ancient Mexico believed in supernatural, super-earthly forces: the deities who created and maintain order. The artistic conception is rooted in these religious conceptions. The plastic resources, identical in all epochs and in all artistic creation, are used in this art to reveal the magico-mythical quality inherent in things and hidden by exterior appearance. Herein lies the peculiarity of the art of ancient Mexico and from this standpoint we must study it and evaluate it artistically.

There is a representation of Ehécatl, from Calixtlahuaca, (Fig. 64), a standing masculine figure about six and a half feet high, wearing only sandals and a loincloth. Over his face is a mask in the form of a bird's beak. This bird's beak, a horizontal mass, projects considerably from the surface of the face, destroying the unity of the artistic structure which is of a decidedly vertical tendency. This is especially surprising in a creation of the Matlazinca culture, which in the cave of Malinalco (Fig. 60) could give to the symbolic animals of the eagle and tiger warriors the

10

grandiosely stylized form of unitary blocks and which at the same time succeeded in converting them in a very ingenious manner into accents of a rhythmic, spatial unity. (Aztec art, in a statue of Ehécatl in the National Museum, Mexico, [Fig. 70] avoided this formal disposition, disagreeable to the artist, by representing the god as a seated figure, a posture typical of that artistic production. Arms and legs form a sort of base upon which rests the bird's beak, a transition to the head whose spherical form, like a cupola, contrasts energetically with aerial space.) The bird's beak is a symbol of Quetzalcóatl in his quality as Ehécatl, an allusion to the blowing of the wind that opens a way for the clouds filled with rain. The mask transforms the human, masculine figure into the deity. This transformation also takes place in the mind of the spectator: the statue becomes for him an incarnation of the rain god, an expression of a metaphysical concept. The procedure which the sculptor used in this case is relatively simple, if not primitive. Two elements of reality belonging to different spheres —the human body and the bird's beak—are fused into a new unity, fantastic and unreal.

The jaguar, that fearful beast, symbol of the no less fearful Tezcatlipoca, is also this god's disguise, in which he usually appears to men. Is it the jaguar, whose roar makes man tremble, who springs up terrible and menacing before the nocturnal traveler, or is it perhaps the deity himself, the implacable judge, the omnipotent destroyer? In the mind, or rather in the subconscious, a process of transmutation takes place, and the result is an amalgam in which it is impossible to distinguish the zoological phenomenon from the metaphysical concept. The serpent, an animal that crawls on the ground, coils up until he forms a gigantic monument: in his jaws appears the head of Quetzalcóatl. This ambiguity also determines the artistic vision. The sculptor, using the jaguar in order to characterize Tezcatlipoca, does not shape the animal—although he observes it and reproduces it in its essential features—but the concept of Tezcatlipoca, whom he converts into a perceptible plastic presence through allusion to the jaguar, to

11

the properties common to each. The jaguar appears showing his teeth—guardian of the food of the gods—in the monumental heart vases of Teotihuacán culture (in the British Museum) and of Aztec culture (in the National Museum, Mexico). Is this really a representation of a jaguar or is it not rather a symbol of the deity, whose frightful character becomes palpable and impressive through the form of the beast that he adopts? The imposing image of a jaguar found not long ago in Chichén Itzá, in the pyramid of Kukulkán, is, like the sculpture in front of the Governor's Palace in Uxmal (Fig. 43), the jaguar-throne of the sovereign, an attribute of his dignity and omnipotence.

The magic thought of pre-Cortesian man would not have accepted the explanation that the setting of the sun is a physical phenomenon caused by the rotation of the earth. Myth explains the phenomenon in various ways: the setting of the sun is the agony of the solar god; the star enters the womb of the earth, i.e., the lower world, or else the jaguar, the demon of darkness, devours it. This latter interpretation of the jaguar devouring the solar disc is found on a rock near Tenango.

The facades of Mayan constructions, especially those of the Puuc style—the Codz Pop in Kabah, the palaces of Zayil and Hochob—are covered with masks of Chac, the rain god, or with the noses of Chac, a more lapidary hieroglyphic abbreviation. Although this sculptural adornment is very decorative, it was not a capricious invention of plastic fantasy destined to embellish architectonic structures, but rather a type of magic conjuration: it entrusted the building to the protection of the powerful deity. And the artist's merit lies in his brilliant solution of the problem: to convert what was required by myth into an element of the formal configuration.

It is well known that a sharp gift of observation is manifested in Aztec art and, at the same time, the talent and strong artistic will to subject that observation of reality to the demands of the architectonic, to a great formal discipline. The monumental aspect of its creations is due to that talent, to that will to art. An astonishing confirmation of this "realism" is the figure of Tlazoltéotl, of greenish-gray nephrite (in the Bliss Collection, Washington), represented as a woman giving birth (Fig. 71). In all the history of art there is no other work in which the biological act of childbirth is reproduced so faithfully and directly even in small details, e.g., in the pain expressed by the mother's features. Leonardo da Vinci, whose enormous interest in all physical phenomena is proved by the thousands of drawings he made of them, would have felt the greatest admiration for this Aztec sculptor, and with reason. But however strong and almost fearsome may be the realism with which this group is carved, we must remember that the artist did not intend merely to reproduce a physiological act in order to illustrate for the spectator the phenomenon of parturition, of arrival into the world, of childbirth. Tlazoltéotl was the earth goddess, fertilized every year in solemn ceremony in the feast of Ochpaniztli in the eleventh month, in order to give birth to the young corn god—a magico-symbolic act without which it would have been inconceivable that the cornfields would become green again. To pre-Cortesian man, this sculpture was also a symbolic image, a symbol of the resurrection of the corn god from the earth's womb, a symbol of the vital energy. The maize became "our flesh, our body." And we must bear in mind that in pre-Hispanic Mexico the artistic will coincided with the religious will. Even Mayan aestheticism of which Toscano writes (*Arte precolombino de México y de la América Central*) was a mythico-religious aestheticism.

Above the entrance to St. Mark's in Venice are four bronze horses that were originally on a Roman triumphal arch. For the Venetians, eager to make the temple of their patron saint a place of prodigious pomp and magnificence, adorning it with works of art from many countries and continents, from Byzantium, from western and central Asia, from Egypt and Greece, it was an added glory to enrich St. Mark's with those Roman antiquities. There is no relationship between them and the faith which the church served or the Christian saint to whom it was consecrated.

13

But the aesthetic experience before that grandiose, truly monumental decoration is so profound, so fascinating, that neither the Venetians nor the many millions of visitors who for centuries have been captivated by St. Mark's have been aware of this incongruity. Their importance as great works of art, excelled by few pieces from the Roman past, gives them prestige and makes them worthy of appearing on a building in which all of the fine arts are placed at the service of God. In Western civilization aesthetic emotion and religious emotion can exist side by side, independent of each other, identical only in their intensity.

* * * * *

The creation of symbols (not to be confused with allegory, its substitute, which uses plastic resources to evoke ideas and themes) presupposes a language of forms appropriate for representing concepts. Organic form is transposed into cubico-geometric form in order to raise the work above individuality and convert it into an expression of metaphysical conceptions. The figure assumes the posture of a statue: immobile, hieratic, it represents a timeless existence rather than an action subject to time, which explains why this art resists description. Nothing is narrated, nothing reported. Representation of the acts of the deities, and of their way of acting is reserved to the codices, i.e., to pictographic scripture. The murals of Teotihuacán—hymns painted on the walls—owe their monumentality to two elements, symmetry and rhythm. Symmetry and rhythm: this is expression—artistic and religious—of the sublime, a transformation of the temporal and earthly into metaphysical representation. The same applies to plastics. The figure is not only static, it is built symmetrically. What the West admires as ingenuity, as artistic inventiveness—the variation of themes and forms—does not exist. Far from contributing to monumentality, this would decrease it. Repetition in details and in the whole is not feared (consider from this standpoint, the Chalchiuhtlicue and Coatlicue [Fig. 67]). It is not considered monotonous or a sign of lack of imagination. Rhythmic repetition is expressivity, emphatic

14

affirmation, magic conjuration. Before the fifty-two serpentine heads corresponding to the fifty-two years of the calendar wheel, which rise hissing from the base of the pyramid of Tenayuca (Fig. 62), the believer approaching the sanctuary shudders; and for this reason, to produce devotion and religious ecstasy, were they planned and carved. The 364 heads of Quetzalcóatl and Tláloc on the pyramid of Quetzalcóatl in Teotihuacán; the friezes of jaguars and eagles on the pyramid of Tula; the meander of serpents at Xochicalco; the rows of skulls on the wall of the Ball Court at Chichén Itzá; the rhythmic repetition of the frets at Mitla, of the niches at Tajín—all these originate in the intent to lend divinity to the divine.

Another way to create vigor, greatness, and plastic eloquence is to build the whole as the closed mass of a block, a fundamental characteristic of the sculpture of ancient Mexico, as it was of Egypt and ancient Asia. The form of the block implies subjection to an architectonic discipline and elimination of any merely decorative and illustrative formal element. The thematic is subjected to the formal conception. The mass enfolds as a cubic unity, in both the monumental and the smaller plastics (e.g., in the figurines reproduced in Fig. 9). It is subdivided into large planes of wide curves that absorb all detail unnecessary to the effect of the whole. (Baudelaire, whose artistic sensibility frequently surpasses the principles of his century, speaks, referring to ancient Mexico, Egypt, and Ninevah, of the grand vision of the objects and of the zeal for "achieving, above all, an ensemble effect.") Thus originates another formal contrast: tri-dimensionality against bi-dimensionality, a cubic mass built with the unities of planes. The hollow, the "plastic vacuum"—i.e., the eruption of aerial masses in the mass of stone—is not resorted to, or only rarely, as in the macaw of the Xochicalco Ball Game or in the Totonac axes, and then as an element of the architectonic structure or to augment the plasticity of the whole. All the means of expression are used functionally: their function is to form a determined plastic structure, and all that does not serve this end is rigorously eliminated.

This applies to the altars and colossal heads of the epoch of La Venta (Fig. 5); to the jadeite statuette of the bird god from San Andrés Tuxtla (Fig. 11), one of the first creations of pre-Cortesian plastics, according to the bactun[4] date carved on it, 162 A.D.; to the reliefs of the Dancers of Monte Albán (Figs. 50 and 51); to the figure of an adolescent from the Huasteca (Fig. 23); to Teotihuacán; to the caryatids of Tula (Fig. 59); to the Aztec animal sculptures (Figs. 75 and 76); to the Chac Mool of Chichén Itzá (Fig. 44); and even to a certain degree to the altar of the *Great Turtle* of Quiriguá, where the symbolico-esoteric Mayan ornamentation unfolds within the closed mass of the block. On page 179 of my book, *Arte antiguo de México*, I write as follows about the Chalchiuhtlicue, the principal work of Teotihuacán sculpture: ". . . it is more an architectonic work than sculpture," a relief carved in an enormous block whose silhouette outlines the figure of the goddess. The creator of the Coatlicue also gives his work the structure of a block, a block of quadrangular plan, except that in the Coatlicue the Teotihuacán tendency toward the plane succumbs to the artistic sensuality of the Aztecs, translated into cubico-plastic movement.

Pre-Cortesian man was a great observer of nature. Even as he recorded the movements of the stars in an exact form, much more exact than European astronomy at the time of the Conquest, he observed attentively all the other phenomena of organic and inorganic nature—coloring materials, medicinal plants, etc.—and knew how to use them for his own ends. This intimacy and intensity of observation may also be noted in his artistic production. The great representations of serpents in the Great Temple of Tenochtitlán, conceived as parts of a monumental, architectonic whole, were the object of an investigation by the archaeologist Moisés Herrera (*Detalles zoológicos de veinticinco serpientes encontradas en la ciudad de México*, in *Ethnos*, Vol. I) undertaken to ascertain which species of serpents

---

[4] A bactun was a unit in the Mayan system of calendrical reckoning and consisted of 144,000 days. [Translator]

had served as models. His investigation demonstrated a series of details so characteristic that there can be no doubt which species the sculptor used in each case. The heads of La Venta, although constructed as abstract and geometrical masses, nevertheless enlighten us as to the type of men living in those Gulf regions at the time of their creation: short, stout, flat-nosed beings with wide jaws and that strange mouth called "Olmec mouth," with thick lips, mongoloid eyes, as Covarrubias describes them in *Mayas y Olmecas*. But however much these realistic details satisfy the attitude toward art whose criterion is the unmistakable reproduction of the real, we ought not to attribute to them a meaning and a value which they do not have. We must never lose sight of the fact that although there is a certain realism in the details, "naturalness" is not at all the goal of pre-Cortesian art (as, on the other hand, there was in no way a deliberate intention to create abstractions of reality). Those who approach the plastics of ancient Mexico without taking into account its spiritual hypotheses or the expressive intentions realized in it will consider it "primitive" and, despite more or less realistic details, as not sufficiently advanced to be able to reproduce the optical appearance of things with fidelity to reality; they will not understand that that art uses all of its creative energies to dematerialize the corporeal, to spiritualize the material.

The most imposing example, which has, moreover, the advantage of giving us the key to that type of conception, is the head designated by Sterling in *Stone Monuments of Southern Mexico* as No. 1 (Fig. 5). It is from La Venta, i.e., from an epoch anterior to the development of the classic cultures. A hemisphere rests on a cylinder. The roundness of the volume, a more elemental manifestation of the plastic sensibility, is the fundamental base of the creation. The mass speaks as a mass. There are no parts that project from the total volume established as the basic form. The depressions are hardly more than incisions that articulate the surface without modifying the general structure. The details which the artist wished to indicate—the chin, the mouth, the nose, the eyes, etc.—are carved on the

17

surface with no more than the depth necessary to characterize them. The helmet-like headdress fits tightly over the skull, forehead, and cheeks. The degree to which the Olmec sculptor strove to preserve that unity is shown by the fact that the V-shaped notch found in numerous Olmec and Totonac heads is not cut out but constitutes a plane ornament. This notch represents the hieroglyphics of the moon, sign of fertility, which characterizes those heads as statues of a deity of vegetation.

The other "reality" from which the creation originates is the material: stone. Its heavy, hard, solid character, its character as a block, co-determines the form and gives the work its "stoniness," a word used by Henry Moore to signify "faithfulness to the material." It is this faithfulness to the material that the great English sculptor appreciates above all in pre-Hispanic plastic art of Mexico, which in his opinion "has not been surpassed in any period of stone sculpture," thanks to "its tremendous vigor that never redounds to the detriment of fineness, its astonishing variety of facets, its creative fertility of forms, and its approach to the cleanly tri-dimensional form." The plastic conception has its origin in the stone, the material in which it is realized. Olmec art does not create mere heads—it creates heads of stone.

This "faithfulness to the material" extolled by Henry Moore is one of the characteristic qualities of all pre-Cortesian art, an art that aspires to the highest perfection of workmanship. Not only in the steles of the Culture of La Venta, in its colossal heads and altars, but also in the creations of all the ancient Mexican cultures, we must admire the extraordinary mastery with which the stone is worked, in many cases the hardest of stones, such as jade or rock crystal. The other materials used—the shell of the sea snail, gold, copper, and clay—are also worked with a deep understanding of their peculiarities and the specific expressive possibilities inherent in them.

The effort to achieve the artistic conception regardless of labor, time, or technical difficulties and to achieve it with such perfection that we can well speak of "the genius

18

of craftsmanship" before these works, is obvious. When Vaillant (*The Aztecs of Mexico*) says that the Aztecs had no word equivalent to the term "fine arts," he adds: "Instead, they recognized the value of superior workmanship. . . ." This is particularly notable since it concerns civilizations that used very primitive instruments in order to work stone. They did not have iron. In order to cut and carve, they used obsidian knives. In many cases they polished the surface with obsidian and other hard stones in order to make it smooth, brilliant, and beautiful. The craftsmen strove to achieve absolute exactitude in details, too. To this perfection of workmanship is often added, as on the Palenque and Bonampak reliefs (Figs. 30 and 33), a fascinating sensibility. Another convincing example of this is the head from La Venta, which unites monumentality of conception with the most painstaking execution of detail. Let us likewise remember the meticulous filigree work of the Mayan figures and ornaments that, inextricably interlaced, cover the facades of Uxmal, the crest of Palenque, and the steles of Copán and Quiriguá.

The Culture of La Venta was, in the words of Alfonso Caso, "a mother culture," not only in the sense that it developed mythico-religious conceptions later elaborated by the classic cultures and condensed into the system that reflects the spirituality of pre-Cortesian man, but also in that it created the norms and tendencies that, eventually, would determine its artistic attitude and would endow it with originality beside the world's other great artistic cultures. Norms and tendencies; not a fixed scheme, but an orientation: an aspiration to the statuary and the monumental, to the functional values of the expressive means; an aversion for the merely descriptive, for mere reproduction. Of course, we cannot speak of a "neo-La Ventism" (analogous to European neo-classicism), but it is evident that the Chac Mool of Chichén Itzá, the Toltec masks, the Coyolxauhqui of the National Museum (Mexico), and even the more modest figures, such as the Aztec representations of the corn goddess, owe their plastic unity, the grandeur of their appearance, the intensity of their effect, to the norms

19

and tendencies inherent in that earlier civilization, which consciously or unconsciously determine their conception.

Since the legacy of that "mother culture" to later civilizations is a mode of creating rather than content, the different tribes can freely develop their idiosyncrasies and also the special and specific peculiarity of their artistic fantasies.

* * * * *

A monumental plastics does not appear in ancient Mexico until the epoch of La Venta, and then in the form of gigantic monoliths. As the excavations testify, the archaic civilizations create a ceramic sculpture of small size. What distinguishes the art of the classic cultures from that of the pre-classic is, essentially, the nature of its religious attitude. There were also mythico-religious conceptions in the pre-classic epochs, but we do not know their type or nature. We can only surmise them by studying the excavated objects, which in this respect are not very eloquent. Those pre-classic cultures were not primitive. Their products testify to a civilization of a considerable level and of a high technical and artistic capacity. Many pieces, especially from Tlatilco, manifest a fine and even refined artistic sensibility in the mode of perception and in their reduction to form.

The innumerable pieces found at Tlatilco also demonstrate that their religiosity, on the other hand, can be considered primitive compared to that of the later high cultures. We scarcely find among them representations of deities or symbolic forms from which we might deduce the existence of a cult of any spiritual status. The form of the representation corresponds to the profane motifs of this plastics: animals and nude feminine figurines in inexhaustible abundance (Figs. 1a, 1b, 2a, 2b, and 3). There is no stylization as such. In the capturing of the optical phenomenon we note a visible effort to reproduce the object characteristically and faithfully, faithfully not in the sense of an academic realism, but in that of a will to art that refuses to interpose, between the natural object and

20

the work, a spiritual conception, whatever this may have been. Tlatilco belongs to a stage in which the religious system of the Tonalámatl does not yet exist, in which vision is not yet determined by the interpretations of the cosmos given by myth.

Teotihuacán art, which springs from that religious system and which was meanwhile developed, perfected, and converted into the exemplary norm of all existence, does not show any characteristics of Tlatilco realism. The themes from which it issues are radically different. The representation of nude women no longer exists, no longer interests. The exclusive goal of art is, as among the Mayas, Zapotecs, and Aztecs, the representation of the deities and the creation of symbolic signs that serve to interpret myth. It is not a matter of a mere change in thematics. The new conceptions, according to which the natural phenomenon is an incarnation of supernatural, divine forces, can only be expressed in a formal language that moves away from the optically perceptible and lends itself to making conscious and tangible the deeper meaning that myth has introduced into the sensory perception. Herein is revealed the decisive importance of the intermediate epoch called La Venta, in which a radical transformation of artistic creation takes place. The archaic traditions no longer suffice. With this new orientation toward the metaphysical there is formed a whole complex of conceptions and concepts that cannot be represented through reproduction of the real phenomenon. A new criterion is also crystallizing. The super-earthly and the superhuman need dimensions that transcend the measure of the solely real. There arises a hitherto unknown zeal for monumentality as evidenced by those gigantic altars, those colossal heads, those steles of mythological content.

The intense observation of nature characteristic of most of the archaic creations does not disappear but is subjected to a new will to form imposed by the new religious-spiritual experiences. Thus, the conception acquires a visionary impetus, which is what confers on the La Venta heads the dimension of the sacred and monumental. They

21

are, furthermore, a typical example of the transmutation that takes place in a creation of realistic tendency under the influence of metaphysical thinking. A representation created with a certain attachment to nature, such as the head of La Venta that we have been discussing, is transformed into the image of a concept, into an image charged with concepts. The fact that the Olmecs were brilliant creators of forms who knew how to resort to functional plastic values in the creation of their works, large and small, is not sufficient to explain the newness, let us call it, of the art of La Venta compared with all that was done and created around them previously. What is decisive is that the Olmecs developed a formal idiom adequate for the expression of mythical thinking. Together with their religious conceptions, the classic cultures of later epochs adopted their method of seeing and creating and their new attitude toward artistic creation.

In the course of a slow development, this attitude will give way in the Mayan art of the Petén region to an esoteric baroque, a wandering and exuberant formal fantasy, that never stops inventing arabesques and paraphrases —an impressive contrast to Teotihuacán austerity and the tectonic grandiosity of Monte Albán. A tropical fantasy, feudalism, there is no doubt of that. But, not insignificantly, herein is manifested the character of mysticism that the Mayan religion assumed under the influence of a speculative theology. It is understandable that that mysticism, that magic power of the occult that gives more depth to the religious conscience, cannot express itself, as at Teotihuacán, in a diaphanous language of forms legible even to the layman: this would sacrifice its esoteric character. It must evolve an art such as the Mayan, whose ambiguity and associative richness evoke the secret depths in which the sacred is sought and found.

While in Yucatan the artistic production appears to be a perennial adoration of Quetzalcóatl-Kukulkán and Chac, the rain god, and while the religious imagination of the Aztecs conceives the sublime and frightful monument of Coatlicue, there rises in western Mexico, in the region of the Tarascans and their neighbors a capricious, sensual, and mundane art, a fascinating and not at all monumental impressionism that represents men and animals just as it observes them, that tries to capture the movement of the body with all its intersections and foreshortenings. Insofar as there is a transformation of the real, this obeys an aesthetic criterion and reveals an aesthetic sensibility of the highest order, an artistic creation that contrasts strongly with that of the other high cultures of ancient Mexico.

The explanation is simple: the Tarascan groups did not participate in the religious development of the other tribes. Despite the fact that they had a calendar similar to that of the Aztecs, and although they venerated certain deities, incarnations of the sun and the moon, their religious experiences revolved around a totemic cult and a cult of the dead. Their pyramid, the *yácata*, of peculiar structure, different from that of the other pre-Cortesian peoples, is a mortuary monument. Thus, as their religious attitude is closer to archaic culture than to classic, their artistic production likewise can be considered as an evolved archaic. Toscano (*Arte precolombino de México y de la América Central*) mentions its "archaic aspect" as a characteristic of the form of this art. For the world of Tarascan art, the reality from which it starts is not the myth. It is natural, therefore, that the Tarascan arrives at an expressive form different from that of the peoples whose thinking is mythical thinking, for whom reality, the only and supreme reality, is the myth.

* * * * *

Except for the steles, works of an elevated artistic level, no trace of a monumental Zapotec plastics has been found to date, a strange phenomenon in a people who built Mitla and who took nearly a millenium in the construction of Monte Albán, their sacred city. The reliefs of the Dancers (Figs. 50 and 51)—grandiose creations that covered the walls of a pyramid—reveal the influence of La Venta. They are of a previous epoch, of an archaic culture that had founded a religious center in Monte Albán centuries before the arrival of the Zapotecs, which occurred in approximately the second century A.D.

The reliefs of the Dancers are not reproductions of dance scenes. This series of isolated figures, outline drawings carved masterfully in the stone with a graphism of intense expressivity, is the incarnation of an idea. What they represent is the rhythm, the religious ecstasy of the sacred dance that was devotion to the gods and magical conjuration.

Zapotec plastics is realized in ceramics: braziers and urns, above all funerary urns, which bear in front the image of a deity: that of the tribal deity Cocijo, of the corn god, of the goddess Seven Serpent, or of the bat god. (In *Urnas zapotecas*, by Alfonso Caso and Ignacio Bernal, these creations are assembled and analyzed in their peculiarity.) In general, they are seated figures, full of majesty and grandeur. The gods are characterized by their attributes. (Cocijo, for example, is distinguished by the forked tongue that hangs from his mouth.) Their heads are inserted, so to speak, in great feather headdresses that display the Zapotec world sign: the wide-open jaws of a tiger.

While in La Venta any characterizing detail that protruded plastically from the total volume was avoided—a tendency that will be manifested later, at Teotihuacán, in the plane, bi-dimensional aspect of the tri-dimensional corporeal mass in its effect as a relief—the art of Monte Albán, similar in this respect to that of the Totonacs, works with strong plastic contrasts. A vigorous sensuality is expressed in agitated forms, in prominences and depressions that aspire to a pictorial effect of lights and shadows. This is certainly a case of an exclusively plastic movement. The figure itself is represented as static. It is encircled by a sharply outlined contour whose plastic unity is not destroyed by salient features. In this capacity of subordinating various details, and details which display a diversity of movements, to an architectonic discipline that leaves ample room for fantasy, may be seen the ingenious dialectics of Zapotec culture. The artistic will from which its monumentality springs is based on a conscious understanding of plastic values.

The majority of these urns were found in mortuary chambers. The figures that decorate them are images of protector deities, companions of the deceased on his dangerous journey toward the lower world, like the "nine lords of the night" painted on the walls of Tomb 105 of Monte Albán. Objects that he had owned were buried with him (which explains the extraordinary jewels contained in Tomb Seven of Monte Albán). Likewise, the ceramics found in Tlatilco—an important funerary city dating from around 3000 to 2000 B.C.—were probably mortuary offerings. Provisions of food and drink were given to the deceased (wherefore the ceramic vessels unearthed in the exploration of tombs, vessels made for this purpose, frequently decorated with anthropomorphic and zoomorphic representations). The more distinguished the deceased and the higher his social position, the richer and more sumptuous the funerary offerings. Among them it was necessary to include a dog to assist him, as a guide, in crossing a wide river (because of this we have the numerous representations of dogs [Fig. 80], many of whom wear the mask of Xólotl, divine conductor of the dead, a type of figure in which the ceramics of Colima reached its perfection). It is also supposed, and with good reason, that a large part of the capricious ceramic figurines of western Mexico—representations of men and women, warriors, musicians, dwarfs, acrobats, men and women dancers—were nothing more than the effigies of persons who had formed the retinue of the great lord during his lifetime and who accompanied him to the tomb so that he would not lack either companionship or servants in the hereafter.

One of the paramount conceptions of the magic thinking of the peoples of ancient Mexico is the indestructibility of the vital energy. It may be manifested under different guises, but it is impossible that it perish. According to Sahagún, earthly existence was considered "a dream" from which man awakens when he passes to the beyond, "when he becomes a spirit or a god." In the lower world, the dead man continues his life. The voyage to Mictlan is only a journey to a place which one has heard about. . . . The idea of providing the deceased with everything necessary, of protecting him against hostile demons who could attack him, gave way among the Totonacs to two strange and singular types of sculptural forms, the palms and the yokes. The yoke, a stone oval generally open at one end, which was used for placing around the head of the deceased— as shown in the series of drawings on Plate 67 of the Magliabecchiano Codex—already existed in the Culture of La Venta. But, what the Totonacs did with it! Figures and ornaments are interlaced in rhythmic curves. The motifs indicate the purpose for which it was intended —to protect the deceased by means of magic conjuration. The favorite representations are the frog, a symbol of the earth goddess, the devourer of the human body; the owl, an incarnation of evil spirits (Fig. 18); the eagle that lifts the soul of the deceased toward the heaven of the solar god; and the feathered serpent. The oval planes of the yokes, an inch or so high, and the palms, objects that widen toward the top in the shape of a palm leaf and from which a figure carved in high relief or in rounded volume projects (Fig. 19), are strange structures, troublesome for the sculptor and difficult to carry out artistically, but he handled them admirably and with an unerring instinct for the expressive possibilities of the sculpture.

No less strange is the third type developed by Totonac art, the votive axe (Figs. 16 and 17). In these axes, the sculptor's problem consisted of organizing two representations in relief within the two identical surfaces of one stony mass sharpened in the form of a wedge. What we see carved on them are almost always human heads or, rather, the outlines of human heads that form something like a frame around mythical signs and ornaments. The axe does not belong to the objects employed in the cult of the dead. It is, transformed into stone, the axe of the rain god, which he uses to open the way for the clouds carrying the precious liquid. A badge of power, of dignity. Magic thinking devises symbols. The figurative image has another meaning, a very different meaning that does not interest the world—not even the artistic world—of ancient Mexico.

* * * * *

The shell of the sea snail, raw material supplied in abundance by the sea, is used by the Huastecs to create marvelous works of art. Their monumental creation is the stone figure of Quetzalcóatl—a youthful Quetzalcóatl—who, as the evening star, descends into the lower world carrying with him to the kingdom of the dead his son, the setting sun. (Figs. 23 and 24). In a masterly manner they fashion shell breastplates and earrings: exquisite jewels of fascinating delicacy. Beyer (*Shell ornament sets from the Huasteca*, in *Middle American Papers*, No. 5), believes that the Huastecs did all of the shellwork in ancient Mexico, even that found in remote regions where, according to him, the objects arrived through barter. He also attributes to the Huastecs all the deities that have as an attribute any jewel of mother-of-pearl or in the form of a shell. One of these is Quetzalcóatl, whose breastplate is the transverse section of the shell of a sea snail and whose earrings are in the form of a "twisted shell." Also, the cone-shaped cap he wears, which constitutes a characteristic peculiarity of Huastec sculpture, is a sign that it was in their region that the concept of the priest-god was conceived. Tlazoltéotl, who in the representation in the Codex Borgia wears a mother-of-pearl breastplate, was the Huastec goddess of fertility and also of sensuality and the one who gives birth. The Central Plateau adopted her under the name of Teteo innan. We must also mention here Pantécatl, the god of pulque, and Mixcóatl, the Chichimec god of the hunt.

Mythological scenes are carved on the breastplates, narrow trapeziums four to eight inches long. The figures frequently contain hollows, "plastic vacuums," which give rise to strongly sculptural contrasts despite the flatness of the representation. In almost all of these works, designated by Toscano (*Arte precolombino de México y de la América Central*) as "codices in shell," we see two gods, one

27

beside the other, over a sort of base formed by two entwined serpents. In the breastplate in the National Museum (Mexico), the deities are Mixcóatl and Tlazoltéotl (Fig. 90).

* * * * *

To one of the accidents that play such an important role in archaeology—the discovery of a tomb that had not previously been sacked—we owe our knowledge of the artistic and technical perfection of the pre-Hispanic goldsmiths. I refer to Tomb Seven of Monte Albán in which Alfonso Caso found, in 1932, the offerings that a Mixtec lord, evidently a high priest, had taken with him to his tomb: hundreds of jewels of gold, silver, copper, jade, shell, rock crystal, alabaster, and other precious stones; necklaces, rings, earrings, lip-rings, bracelets—a veritable museum of jewel work (Fig. 92). A few works of gold, also of Mixtec origin, had been rescued earlier: from Yanhuitlán, a pectoral in the form of a shield on which a stepped fret is encrusted with turquoises; two pendants decorated with the effigy of Xiuhtecuhtli, the fire god and, above all, the findings made by Edward Herbert Thompson at the end of the last century in the Sacred Well of Chichén Itzá. To the Sacred Well, around which the religious center of Chichén Itzá was built, the faithful made pilgrimages from remote regions in order to win for themselves, through sacrifices, the benevolence of the rain god. "Into this well," relates Landa (*Relación de las cosas de Yucatán*), "they have had and then had the custom of throwing men alive, as a sacrifice to the gods in times of drought, and they truly believed that they did not die although they did not see them again. They also threw [into it] many other pieces of precious stone and things that they had prized." This passage and similar ones from other chronicles excited the fancy of the United States consul. He began to drag the well, and after various fruitless attempts found the jewels hidden in the well: works of gold, copper, and jade; rattles—emblems of the rain god; masks, pendants, bracelets, rings, buttons, ceremonial axes, etc., most of which are today in the Peabody Museum of Harvard University. Many of these works, as Morley (*The Ancient Maya*) observes, did not come from that region but "were brought to Chichén Itzá from points as far as Colombia and Panama to the south and the State of Oaxaca and the Valley of Mexico to the north." The writings of Bernal Díaz del Castillo, Sahagún, Motolinia, Las Casas, and the letters of Cortes himself contained descriptions filled with enthusiasm and intense astonishment at the artistic perfection that those "savages" had given their jewelry. Almost nothing has remained of those precious pieces. Victims of the conquerors' insatiable hunger for gold, almost all of them ended up in European crucibles in order to contribute toward paying the debts of the King of Spain and toward the financing of his wars. We might mention in passing that in ancient Mexico jade was held in higher esteem than gold, probably because of the magical powers attributed to it.

Montezuma's immense treasure of gold was divided up, and on the "Sad Night" Cortes' fleeing soldiers tried to carry off their part of the booty, which cost many of them their lives. The heavy loads prevented them from moving freely and rapidly, and they drowned in Lake Texcoco. According to tradition, which may be only legend, the Aztecs managed to hide part of those riches, which was Aldereta's reason for ordering the torture of Cuauhtémoc. Even today no trace of Montezuma's treasure has been found. We may presume that the jewels of which it was composed came chiefly from Atzcapotzalco, a great metal-working center.

The art of fusing and working metals does not appear to have been invented until the tenth century A.D. In his *Historia general de las cosas de la Nueva España*, Sahagún describes the techniques employed, above all that of lost-wax. Other procedures that the people of pre-Hispanic Mexico used were hammering, filigree, *repoussé*, and the making of thin sheets of gold that were shaped and decorated.

The Mixtecs, creators of the jewels found in Tomb Seven

29   50537

of Monte Albán, jewels that today fill a whole room of the Oaxaca Museum, were subtle artisans of great artistic sensibility who imparted the highest perfection and delicacy to everything they fashioned. Their codices are a delightful miniaturist painting. Alfonso Caso (*Trece obras maestras de la arqueología mexicana*) states that their ritual ceramics "is the most beautiful that was produced in Mexico." The thirty-five jaguar bones found in Tomb Seven have reliefs on areas no more than 1⅛ to 1½ inches wide, an art of the relief in its highest state. Myth and mythical happenings are narrated in the scenes engraved on them. We know that the Mixtecs made the silver fish with gold incrustations that Charles V sent to the Pope, which Cellini investigated thoroughly without being able to detect the method of its fabrication. And it is also possible that the Mixtecs made the golden treasures that Dürer saw in the court of the Emperor Maximilian and that stirred in him such profound admiration that in one of the letters from his trip to the Low Countries in 1520 he observed: "But I have never seen in all my days what so rejoiced my heart, as these things."

What is peculiar in the jewels from Tomb Seven is what is represented on them and, even more, what is not represented. What is not represented is the profane and the pretty—all that the fantasy of the metalworkers of the ancient world, in Asia as well as in Europe, invented in order to provoke, with the memory of agreeable and pleasurable phenomena—flowers, birds, *putti*, hunting scenes, pairs of enraptured lovers—emotions that would make their jewels attractive. Mythical symbols appear on the jewels of Monte Albán. Of the four plaques that make up one of the pectorals, the top one represents the ball game and on the others we see the sun disc, the butterfly, and the jaws of the earth, a sign of the lower world. A row of bells forms the lower edge. There is a ring decorated with the descending eagle, and collars composed of small gold skulls. Various gods appear on the breastplates: the gods of death, of corn, of fire, and Xochipilli, the god of flowers. The person who wore them was entrusted to their protection. In others, the forms are purely abstract: bell, sphere, cylinder. The spirit and the spirituality with which these forms are combined and contrasted with others of different plastic volume is what gives the jewels of Monte Albán that artistic nobility that the French call *grand goût*.

* * * * *

In Mesoamerica, ceramics is the oldest and most widely known form of plastic expression. Even today we know of no people on American soil who have not practiced this art (Vaillant, *The Aztecs of Mexico*). The Basket Makers, established in what is today the State of Nevada, wove baskets of fibers and covered them inside with clay that they let dry in the sun. The impression of the braided fibers on the soft mass was the first ceramic ornamentation. With the invention of baked clay, that inspired invention of primitive man thanks to which the modeled form became solid and impermeable to liquids, a material became available which enabled man to develop his creative potency and artistic faculty.[5]

* * * * *

With the vessel, that humble domestic instrument born of the need to cook and store food and drink, a development begins that leads to the creation of varied and in

[5] Wood was also used in plastic creations. Sahagún points out in his description of the Great Temple of Tenochtitlán that there was in the twenty-fifth building on the pyramid "a statue of the god they called Omácatl, made of wood." Speaking of the Amantecas, the artisans who made the feather mosaics, he says that "they made a statue of worked wood . . . and built a 'cu' (a temple) to him in their quarter." Because of climatic conditions and the nature of the soil, almost all those works have disappeared. Only a few have been preserved from the regions of the Nahoas and the Mixtecs: *átlatls* (dart throwers), different musical instruments (*teponaxtles* and tambours adorned with reliefs), various small sculptures, and, in the Mayan region, the most important creation in that material—a lintel from Temple IV of Tikal, in the Ethnographical Museum, Basel.

31

many cases grandiose works. The native's astonishing manual skill invents the most diverse techniques of decoration: incised, engraved, polychrome, in relief, stamped with seals, modeled on the bottom in the form of a relief, etc. He creates ceremonial vases, incense burners, braziers adorned with symbolico-religious representations—ritual objects of artistic configuration. He keeps the ashes of his dead in an urn. Vessels made into anthropomorphic and zoomorphic images manifest his desire to paralyze the influence of the evil spirits.

The earth has faithfully preserved pottery remains from every epoch, since ceramics is fragile but imperishable; this has been an important aid in determining the chronological succession of the different civilizations. The classification according to the "types" that predominate in specific regions, epochs, and cultures has been used in order to build a whole complicated scientific system that offers solid bases on which to reconstruct historical development. We are not here going to enter into the details of this science.

Nowhere, not even in China, the classic land of ceramics, has the creative fantasy of man invented so many vessel forms as in ancient Mexico. As a plastic creation, the bowl has not until now aroused the interest it merits, except for those exceptional works in which the singularly artistic decoration, or the symbolic theme of this decoration, has exempted them from the disparaging judgment of those who consider ceramics "minor art"—once again, a prejudice inculcated by the aesthetics of the nineteenth century. The vessel is an artistic phenomenon of the first rank. And it is not enough to think only of the masterworks; the modest bowls for domestic use are also in many cases of very high quality, are often objects of art. In the rich variety of their forms they reflect the direction of the artistic will and the expressive power of the community that produced them.

Lumholtz (*Unknown Mexico*) reproduces the interior of a votive bowl dedicated to the Huichol "goddess of the Eastern Clouds" that was still in use at the time of his expedition, i.e., at the end of the last century. The photograph of its circular surface shows a series of oval stains. Lumholtz says: ". . . the decoration of the bowl . . . expresses a prayer for plenty of corn. The spots inside of the bowl are daubs of beeswax on which have been placed white and blue beads symbolic of grains of corn. The idea actuating the Huichols in such sacrifices is that the gods, when they come to use their bowls, will drink in the prayers of the people. Bowls are, therefore, considered effective conveyers of prayers, and every family has its votive bowl, which is taken out into the fields whenever the men hunt deer, plant corn, etc."

This type of information does not surprise those of us who start, in the study of ancient Mexican ornamentation, with the "value of the essence" of the form. The dependence of man on demoniacal natural forces and his constant need for magical protection gave rise to the creation of symbolic ornamental forms that appear everywhere, whether in the role of mediator between man and deity (as in the case of the Huichol votive bowl), or as talismans intended to avert dangers. Not only is the ritual vessel decorated with them, but the domestic vessel as well. Man cannot dispense with that protection, not even in the most humble activities of daily life: when he goes for water, when he prepares his meal, when he eats or drinks. The stepped fret (Xicalcoliuhqui), which must be considered a type of talisman against death, was also the favorite ornament in ceramics; the Aztecs even called it the "volute of the calabashes."

What the man of Western civilization, educated for seven centuries to and within a fixed aesthetic attitude, takes as a purely ornamental creation was in the world of magic thought an expression of metaphysical experiences. All objects express them, no matter how humble: hunting equipment, the prow and oar of the canoe, the bowl. This in all probability clarifies why, as decoration for the bowls, the painted or relievo representations of symbolic animals, gods, or mythological signs are so numerous. Those representations are not mere decoration; their sole function is not to "embellish" the object: in them is expressed the end that they serve. The form of the object is not functional form in the present-day sense, i.e., it is not the form that guarantees the most practical possible handling. For the man rooted in myth and magic, the object is only useful, is only "functional," if it serves to commend him to the protection of the cosmic powers on which his existence depends.

In all the cultures of ancient Mexico, clay is used to give plastic expression to the magico-mythical conceptions of the community. Images of deities, fertility fetishes, animal symbols are modeled—the same representations that are also in stone, differing only in the kind of material used. If it were not for ceramics, we would know nothing of the sculptural creation of the pre-classic cultures, of the peoples of western Mexico, of the Zapotecs. In archaic times and later among the Tarascans, profane works are created, images of men and animals, "genre" scenes that attest to an amazing observation of reality. These representations disappear in the Teotihuacán, Mayan, and Zapotec cultures, when a new artistic attitude prevails: the creation of symbolic forms.

1

Fig. 1a. Woman. Ceramic. Preclassic culture.

Mujer. Cerámica. Cultura preclásica.

Fig. 1b. Woman. Ceramic. Preclassic culture.

Mujer. Cerámica. Cultura preclásica.

FIG. 2a. Figurine with two heads. Ceramic. Tlatilco. *Coll. Dr. Kurt Stavenhagen.*

Figurilla con dos cabezas. Cerámica. Tlatilco. *Col. Dr. Kurt Stavenhagen.*

FIG. 2b. Woman. Ceramic. Preclassic culture. *Coll. Mathias Goeritz.*

Mujer. Cerámica. Cultura preclásica. *Col. Mathias Goeritz.*

Fig. 3. Woman with animal. Ceramic. Tlatilco. PHOTOGRAPH MAYO.

Mujer con animal. Cerámica. Tlatilco. FOTO MAYO.

FIG. 4. Seated figure, from Tlatilco. Ceramic. Olmec culture. *Coll. Franz Feuchtwanger.* PHOTOGRAPH IRMGARD GROTH-KIMBALL.

Figura sentada, procede de Tlatilco. Cerámica. Cultura olmeca. *Col. Franz Feuchtwanger.* FOTO IRMGARD GROTH-KIMBALL.

FIG. 5. Colossal head. Stone. Culture of La Venta. Villahermosa Museum. PHOTOGRAPH RUTH DEUTSCH DE LECHUGA.

Cabeza colosal. Piedra. Cultura de La Venta. Museo Villahermosa. FOTO RUTH DEUTSCH DE LECHUGA.

FIG. 6. Head of a priest (detail). Culture of La Venta. Villahermosa
Museum. PHOTOGRAPH FERDINAND ANTON.

Cabeza de un sacerdote (detalle). Cultura de La Venta. Museo
Villahermosa. FOTO FERDINAND ANTON.

FIG. 7. Head. Stone. Olmec culture. *National Museum of Anthropology, Mexico.*

Cabeza. Piedra. Cultura olmeca. *Museo Nacional de Antropología, México.*

Fig. 8. Athlete. Stone. Olmec culture. PHOTOGRAPH LUIS LIMON.

Atleta. Piedra. Cultura olmeca. FOTO LUIS LIMON.

FIG. 9. Serpentine figurines. Olmec culture. (The figure on the right is from a tomb in La Venta, that on the left from Tlatilco.) PHOTOGRAPH LUIS LIMON.

Figurillas de serpentina. Cultura olmeca. (La figurilla a la derecha procede de una tumba de la Venta, la de la izquierda de Tlatilco.) FOTO LUIS LIMON.

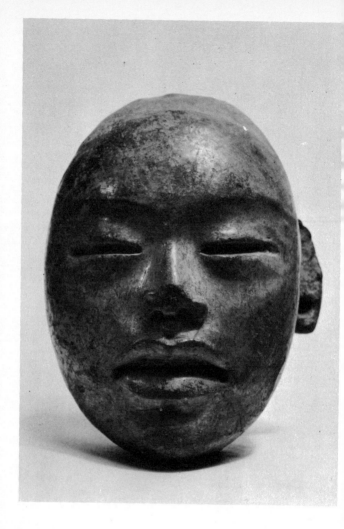

FIG. 10. Head. Stone. Gulf Zone. *National Museum of Anthropology, Mexico.*

Cabeza. Piedra. Zona del Golfo. *Museo Nacional de Antropología, México.*

Fig. 11. Bird-god. Statuette from San Andrés Tuxtla. Jadeite. PHOTO-GRAPH LUIS LIMON.

Dios-ave. Estatuilla de San Andrés Tuxtla. Jadeita. FOTO LUIS LIMON.

Fig. 12. Head. Ceramic. Gulf Zone. PHOTOGRAPH AMERICAN MUSEUM
OF NATURAL HISTORY, NEW YORK.

Cabeza. Cerámica. Zona del Golfo. FOTO AMERICAN MUSEUM OF
NATURAL HISTORY, NUEVA YORK.

Fig. 13. Seated man. Ceramic. Gulf Zone. PHOTOGRAPH AMERICAN MUSEUM OF NATURAL HISTORY, NEW YORK.

Hombre sentado. Cerámica. Zona del Golfo. FOTO AMERICAN MUSEUM OF NATURAL HISTORY, NUEVA YORK.

Fig. 14. Seated man. Stone. Gulf Zone. PHOTOGRAPH AMERICAN MU-
SEUM OF NATURAL HISTORY, NEW YORK.

Hombre sentado. Piedra. Zona del Golfo. FOTO AMERICAN MUSEUM
OF NATURAL HISTORY, NUEVA YORK.

Fig. 15. Seated woman. Ceramic. Totonac culture. *Coll. Dr. Kurt Stavenhagen.*

Mujer sentada. Cerámica. Cultura totonaca. *Col. Dr. Kurt Stavenhagen.*

FIG. 16. Votive axe. Stone. Totonac culture. *Coll. Dr. Kurt Stavenhagen.*

Hacha votiva. Piedra. Cultura totonaca. *Col. Dr. Kurt Stavenhagen.*

Fig. 17. Votive axe. Stone. Totonac culture. PHOTOGRAPH LUIS LIMON.

Hacha votiva. Piedra. Cultura totonaca. FOTO LUIS LIMON.

Fig. 18. Yoke. Stone. Totonac culture. *National Museum of Anthropology, Mexico.* PHOTOGRAPH JOSE VERDE.

Yugo. Piedra. Cultura totonaca. *Museo Nacional de Antropología, México.* FOTO JOSE VERDE.

Fig. 19. Palm with owl. Stone. Totonac culture. *National Museum of Anthropology, Mexico.* PHOTOGRAPH LUIS LIMON.

Palma con buho. Piedra. Cultura totonaca. *Museo Nacional de Antropología, México.* FOTO LUIS LIMON.

Fig. 20. Palm. Stone. Totonac culture. *National Museum of Anthropology, Mexico.* PHOTOGRAPH LUIS LIMON.

Palma. Piedra. Cultura totonaca. *Museo Nacional de Antropología, México.* FOTO LUIS LIMON.

Fig. 21. Head. Stone. Gulf Zone. *Coll. Raúl Dehesa.*

Cabeza. Piedra. Zona del Golfo. *Col. Raúl Dehesa.*

Fig. 22. Head. Ceramic. Gulf Zone. *Coll. Dr. Kurt Stavenhagen.*

Cabeza. Cerámica. Zona del Golfo. *Col. Dr. Kurt Stavenhagen.*

Fig. 23. Adolescent. Stone. Huastec culture.
National Museum of Anthropology, Mexico.

Adolescente. Piedra. Cultura huasteca. *Museo Nacional de Antropología, México.*

Fig. 24. Adolescent (rear view). Huastec. PHOTOGRAPH LUIS LIMON.

Adolescente huasteca (visto de espaldas). FOTO LUIS LIMON.

Fig. 25. Huastec goddess, from Tamuín. Stone. *National Museum of Anthropology, Mexico.*

Deidad huasteca, procede de Tamuín. Piedra. *Museo Nacional de Antropología, México.*

Fig. 26. Head. Ceramic. Gulf Zone. *Coll. Dr. Kurt Stavenhagen.* PHO-TOGRAPH IRMGARD GROTH-KIMBALL.

Cabeza. Cerámica. Zona del Golfo. *Col. Dr. Kurt Stavenhagen.* FOTO IRMGARD GROTH-KIMBALL.

FIG. 27. Smiling mask. Ceramic. State of Veracruz. *National Museum of Anthropology, Mexico.*

Máscara sonriente. Cerámica. Estado de Veracruz. *Museo Nacional de Antropología, México.*

FIG. 28. Dancer. Ceramic. Classic Mayan culture. *Coll. Dr. Kurt Stavenhagen.*

Danzante. Cerámica. Cultura maya clásica. *Col. Dr. Kurt Stavenhagen.*

Fig. 29. Mask of deceased Mayan prince. From the tomb in the crypt of the Temple of the Inscriptions, Palenque. Turquoise mosaic. Classic Mayan culture. *National Museum of Anthropology, Mexico.*

Máscara del difunto príncipe maya. Procede de la tumba en la cripta del Templo de las Inscripciones, Palenque. Mosaico de turquesas. Cultura maya clásica. *Museo Nacional de Antropología, México.*

Fig. 30. Relief, tomb in the crypt of the Temple of the Inscriptions, Palenque (detail). Stucco. Classic Mayan culture.

Relieve, tumba en la cripta del Templo de las Inscripciones. Palenque (detalle). Estuco. Cultura maya clásica.

FIG. 31. Mask. Stucco painted red. Palenque. Classic Mayan culture. *National Museum of Anthropology, Mexico.* PHOTOGRAPH LUIS LIMON.

Máscara. Estuco, pintado de rojo. Palenque. Cultura maya clásica. *Museo Nacional de Antropología, México.* FOTO LUIS LIMON.

Fig. 32. Head of a decapitated warrior. Tomb of
the Temple of the Inscriptions, Palenque.
Stucco. Classic Mayan culture.

Cabeza de un guerrero decapitado. Tumba del
Templo de las Inscripciones, Palenque. Estuco.
Cultura maya clásica.

FIG. 33. Priest. Stele, Bonampak (detail). Stone. Classic Mayan culture.

Sacerdote. Estela, Bonampak (detalle). Piedra. Cultura maya clásica.

FIG. 34. Head of a priest. Detail of relief, Fig. 35.

Cabeza del sacerdote. Detalle del relieve, núm. 35.

FIG. 35. Relief, from Jonuta, Tabasco. Classic Mayan Culture. *National Museum of Anthropology, Mexico.* PHOTOGRAPH LUIS LIMON.

Relieve, procede de Jonuta, Tabasco. Cultura maya clásica. *Museo Nacional de Antropología, México.* FOTO LUIS LIMON.

Fig. 36. Seated man. Whistle. Ceramic. Jaina. *National Museum of Anthropology, Mexico.*

Hombre sentado. Silbato. Cerámica. Jaina. *Museo Nacional de Antropología, México.*

Fig. 37. Chac, rain god. Urn, from Mayapán. Ceramic.
Late Mayan culture.

Chac, dios de la lluvia. Urna. Procede de Mayapán.
Cerámica. Cultura maya tardía.

Fɪɢ. 38. Sacrificial altar supported by atlantes. Temple of the Warriors, Chichén Itzá. Mayan-Toltec culture. PHOTOGRAPH ERNEST
RATHENAU.

Mesa de sacrificios, sostenida por atlantes. Templo de los Guerreros, Chichén Itzá. Cultura maya-tolteca. FOTO ERNEST RATHENAU.

FIG. 39. Serpentine pilaster. Temple of the Warriors, Chichén Itzá.
Mayan-Toltec culture. PHOTOGRAPH ERNEST RATHENAU.

Pilastra serpentina. Templo de los Guerreros. Chichén Itzá. Cultura maya-tolteca. FOTO ERNEST RATHENAU.

FIG. 40. Pillar. Temple of the Warriors, Chichén Itzá. Mayan-Toltec
culture. PHOTOGRAPH ERNEST RATHENAU.

Pilar. Templo de los Guerreros, Chichén Itzá. Cultura maya-tolteca. FOTO ERNEST RATHENAU.

Fig. 41. Stele. Chichén Itzá. Mayan-Toltec culture. PHOTOGRAPH
ERNEST RATHENAU.

Estela. Chichén Itzá. Cultura maya-tolteca. FOTO ERNEST RATHE-
NAU.

FIG. 42. Stele. Seibal. Classic Mayan culture.

Estela. Seibal. Cultura maya clásica.

FIG. 43. Uxmál. Late Mayan culture. PHOTOGRAPH ERNEST RATHE-
NAU.

Uxmal. Cultura maya tardía. FOTO ERNEST RATHENAU.

FIG. 44. Chac Mool, Chichén Itzá. Stone. Mayan-Toltec culture. *National Museum of Anthropology, Mexico.*

Chac Mool, Chichén Itzá. Piedra. Cultura maya-tolteca. *Museo Nacional de Antropología, México.*

Fig. 45. Priest offering a sacrifice to the fire serpent. Relief. Yaxchilán. Classic Mayan culture.

Sacerdote ofrendando un sacrificio a la serpiente de fuego. Relieve. Yaxchilán. Cultura maya clásica.

F<small>IG</small>. 46. Man. Ceramic, from Chiapas. <small>PHOTOGRAPH AMERICAN MU-
SEUM OF NATURAL HISTORY, NEW YORK.</small>

Hombre. Cerámica, procede de Chiapas. <small>FOTO AMERICAN MUSEUM
OF NATURAL HISTORY, NUEVA YORK.</small>

FIG. 47. Xochicalco. Detail from the frieze of reliefs on the pyramid.
Stone. PHOTOGRAPH ERNEST RATHENAU.

Xochicalco. Detalle del friso de relieves de la pirámide. Piedra.
FOTO ERNEST RATHENAU.

FIG. 48. Seated man, from Monte Albán. Ceramic. *Coll. John Wise.*
PHOTOGRAPH AMERICAN MUSEUM OF NATURAL HISTORY, NEW YORK.

Hombre sentado, procede de Monte Albán. Cerámica. *Col. John Wise.* FOTO AMERICAN MUSEUM OF NATURAL HISTORY, NUEVA YORK.

Fig. 49. Stele. Stone. Zapotec culture. PHOTOGRAPH LUIS LIMON.

Estela. Piedra. Cultura zapoteca. FOTO LUIS LIMON.

Fig. 50. and Fig. 51. Dancers. Reliefs. Monte Albán. Stone. Olmec culture (?). PHOTOGRAPH ERNEST RATHENAU.

Danzantes. Relieves. Monte Albán. Piedra. Cultura olmeca (?). FOTOS ERNEST RATHENAU.

FIG. 52. Portico of Tomb 104, Monte Albán, with the figure of the corn god. Zapotec culture.

Pórtico de la tumba 104 con la figura del dios del maíz. Monte Albán. Cultura zapoteca.

Fig. 53. Zapotec urn (detail). Ceramic. Zapotec culture. *Coll. Howard Leigh.* PHOTOGRAPH FREDRICK A. PETERSON.

Urna zapoteca (detalle). Cerámica. Cultura zapoteca. *Col. Howard Leigh.* FOTO FREDRICK A. PETERSON.

Fig. 54. Vase with glyph, "One Tiger." Ceramic. Zapotec culture. PHOTOGRAPH FREDRICK A. PETERSON.

Vaso con el glifo, "Un Tigre." Cerámica. Cultura zapoteca. FOTO FREDRICK A. PETERSON.

Fig. 55. Urn. Ceramic. Zapotec culture. *National Museum of Anthropology, Mexico.*

Urna. Cerámica. Cultura zapoteca. *Museo Nacional de Antropología, México.*

FIG. 56. Goddess "Thirteen Serpent." Urn. Ceramic. Zapotec culture. *National Museum of Anthropology, Mexico.*

Diosa "Trece Serpiente." Urna. Cerámica. Cultura zapoteca. *Museo Nacional de Antropología, México.*

Fig. 57. Relief with the Mixtec year sign. Stone. Mixtec culture. *Coll. Dr. Kurt Stavenhagen.*

Relieve con el signo del año de los mixtecas. Piedra. Cultura mixteca. *Col. Dr. Kurt Stavenhagen.*

FIG. 58. Mask. Stone. Teotihuacán culture. *Coll. Diego Rivera.*

Máscara. Piedra. Cultura teotihuacana. *Col. Diego Rivera.*

FIG. 59. Head. Detail of a caryatid, Tula. Toltec culture. PHOTO-
GRAPH ERNEST RATHENAU.

Cabeza. Detalle de una cariátide, Tula. Cultura tolteca. FOTO
ERNEST RATHÉNAU.

Fig. 60. Malinalco. Interior of the circular cave. Matlatzinca culture.
PHOTOGRAPH RUTH DEUTSCH DE LECHUGA.

Malinalco. Interior de la cueva de planta circular. Cultura matlatzinca. FOTO RUTH DEUTSCH DE LECHUGA.

FIG. 61. Vessel for hearts. Stone. Aztec culture. *National Museum of Anthropology, Mexico.*

Vaso de corazones. Piedra. Cultura azteca. *Museo Nacional de Antropolgía, México.*

Fig. 63. Hunchback. Stone. Aztec culture. *Coll. Dr. Kurt Staven-hagen.*

Corcovado. Piedra. Cultura azteca. *Col. Dr. Kurt Stavenhagen.*

FIG. 64. Ehécatl, the wind god. From Calixtlahuaca. *National Museum of Anthropology, Mexico.* PHOTOGRAPH AGUSTIN MAYA.

Ehécatl, dios del viento. Procede de Calixtlahuaca. *Museo Nacional de Antropología, México.* FOTO AGUSTIN MAYA.

FIG. 65. The Great Coatlicue. Stone. Aztec culture. *National Museum of Anthropology, Mexico.* PHOTOGRAPH LUIS LIMON.

La Gran Coatlicue. Piedra. Cultura azteca. *Museo Nacional de Antropología, México.* FOTO LUIS LIMON.

Fig. 66. Plumed serpent with the head of Quetzalcóatl. Stone.
Aztec culture. *National Museum of Anthropology, Mexico.*
PHOTOGRAPH LUIS LIMON.

Serpiente emplumada con la cabeza de Quetzalcóatl. Piedra.
Cultura azteca. *Museo Nacional de Antropología, México.* FOTO
LUIS LIMON.

Fig. 67. Coatlicue. Stone. Aztec culture. *National Museum of Anthropology, Mexico.* PHOTOGRAPH LUIS LIMON.

Coatlicue. Piedra. Cultura azteca. *Museo Nacional de Antropología, México.* FOTO LUIS LIMON.

FIG. 68. Head of an eagle warrior, from Tezcoco. Stone. Aztec culture. *National Museum of Anthropology, Mexico.*

Cabeza de guerreo aguila, procede de Tezcoco. Piedra. Cultura azteca. *Museo Nacional de Antropología, México.*

FIG. 69. Tiger warrior. Stone. Aztec culture. *National Museum of Anthropology, Mexico.*

Guerrero tigre. Piedra. Cultura azteca. *Museo Nacional de Antropología, Mexico.*

Fig. 70. Ehécatl. Stone. Aztec culture. *National Museum of Anthropology, Mexico.*

Ehécatl. Piedra. Cultura azteca. *Museo Nacional de Antropología,
México.*

FIG. 71. Tlazoltéotl-Ixcuina, goddess of childbirth. Stone. Aztec culture. *Coll. Robert Woods Bliss.*

Tlazoltéotl-Ixcuina, diosa del parto. Piedra. Cultra azteca. *Col. Robert Woods Bliss.*

FIG. 72. Seated woman. Stone. Aztec culture. PHOTOGRAPH AMERI-
CAN MUSEUM OF NATURAL HISTORY, NEW YORK.

Mujer sentada. Piedra. Cultura azteca. FOTO AMERICAN MUSEUM
OF NATURAL HISTORY, NUEVA YORK.

FIG. 73. Xiuhtecuhtli (detail). Stone. Aztec culture. *National Museum of Anthropology, Mexico.* PHOTOGRAPH LIMON.

Xiuhtecuhtli (detalle). Piedra. Cultura azteca. *Museo Nacional de Antropología, México.* FOTO LUIS LIMON.

FIG. 74. Pectoral in the form of a bicephalous serpent. Turquoise mosaic. Aztec culture. *British Museum, London.*

Pectoral en forma de una serpiente bicéfala. Mosaico de turquesas. Cultura azteca. *British Museum, Londres.*

FIG. 75. Fire serpent. Stone. Aztec culture. *National Museum of Anthropology, Mexico.* PHOTOGRAPH LUIS LIMON.

Serpiente de fuego. Piedra. Cultura azteca. *Museo Nacional de Antropología, México.* FOTO LUIS LIMON.

Fig. 76. Coyote. Stone. Aztec culture. *Coll. Dr. Kurt Stavenhagen*

Coyote. Piedra. Cultura azteca. *Col. Dr. Kurt Stavenhagen.*

Fig. 77. Xilonen, corn goddess. Stone. Aztec culture. *Coll. Dr. Kurt Stavenhagen.*

Xilonen, diosa del maíz. Piedra. Cultura azteca. *Col. Dr. Kurt Stavenhagen.*

FIG. 78. Xochipilli, god of the dance and of spring. Stone. Aztec culture. *National Museum of Anthropology, Mexico.*

Xochipilli, dios de la danza y de la primavera. Piedra. Cultura azteca. *Museo Nacional de Antropología, México.*

Fig. 79. Man and woman. Polychrome ceramic. Nayarit. *Coll. Dr. Kurt Stavenhagen.*

Pareja. Cerámica policromada. Nayarit. *Col. Dr. Kurt Stavenhagen.*

FIG. 80. Dog with human mask. Ceramic. Colima. *National Museum of Anthropology, Mexico.*

Perro con máscara humana. Cerámica. Colima. *Museo Nacional de Antropología, México.*

Fig. 81. Crane. Ceramic. Colima. *Coll. Diego Rivera.*

Garza. Cerámica. Colima. *Col. Diego Rivera.*

Fig. 82. Bitch. Ceramic. Colima. *Coll. Dr. Kurt Stavenhagen.*

Perra. Cerámica. Colima. *Col. Dr. Kurt Stavenhagen.*

Fig. 83. Badger playing a flute. Ceramic. Colima. *Coll. Dr. Kurt Stavenhagen.*

Tejón tocando la flauta. Cerámica. Colima. *Col. Dr. Kurt Stavenhagen.*

FIG. 84. Fish with human head. Ceramic. Colima. *Coll. Diego Rivera.*
PHOTOGRAPH IRMGARD GROTH-KIMBALL.

Pescado con cabeza humana. Cerámica. Colima. *Col. Diego Riv-era.* FOTO IRMGARD GROTH-KIMBALL.

FIG. 85. The pulque drinker. Ceramic. Western Mexico. *Coll. Dr. Kurt Stavenhagen.*

El bebedor de pulque. Cerámica. Cultura del occidente. *Col. Dr. Kurt Stavenhagen.*

FIG. 86. Bowl. Ceramic. Teotihuacán culture. *National Museum of Anthropology, Mexico.*

Vasija. Cerámica. Cultura teotihuacana. *Museo Nacional de Antropología, México.*

Fig. 88. Vase with skulls. Ceramic. Cholula. *Coll. Wm. Spratling.*

Vasija con calaveras. Cerámica. Cholula. *Col. Wm. Spratling.*

FIG. 89. Anthropomorphic vase. Ceramic. Western Mexico. *Coll. Dr. Kurt Stavenhagen.*

Vasija antropomórfica. Cerámica. Cultura del occidente. *Col. Dr. Kurt Stavenhagen.*

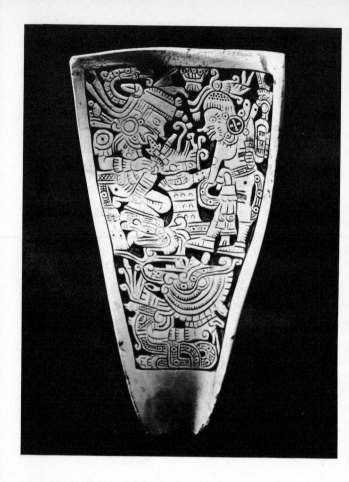

FIG. 90. Shell breastplate. Huastec culture. *National Museum of Anthropology, Mexico.*

Pectoral de caracol. Cultura huasteca. *Museo Nacional de Antropología, México.*

FIG. 91. Skull. Small mask of bone, from Yanhuitlán. Mixtec culture. *National Museum of Anthropology, Mexico.*

Calavera. Mascarita de hueso, procede de Yanhuitlán. Cultura mixteca. *Museo Nacional de Antropología, México.*

Fig. 92. Xipe Totec. Mask of gold, from Tomb 7, Monte Albán. Mixtec culture. PHOTOGRAPH LUIS LIMON.

Xipe Totec. Máscara de oro, procede de la tumba 7 de Monte Albán. Cultura mixteca. FOTO LUIS LIMON.

FIG. 93. Shield of gold and turquoise mosaic, from Yanhuitlán. Mixtec culture. *National Museum of Anthropology, Mexico.*

Escudo de oro y mosaico de turquesas, procede de Yanhuitlán. Cultura mixteca. *Museo Nacional de Antropología, México.*

Fig. 94. Gold bell decorated with a serpent's head, from a tomb at Coixtlahuaca. Mixtec culture. PHOTOGRAPH LOUIS LIMON.

Cascabel de oro decorado con una cabeza de serpiente, procede de una tumba de Coixtlahuaca. Cultura mixteca. FOTO LUIS LIMON.

LA ESCULTURA DEL MEXICO ANTIGUO

> *En el fondo la escultura impresiona*
> *solamente en su nivel más alto.*
>
> GOETHE

El tema del arte griego en su época clásica es el hombre, el hombre bello. Bajo la influencia de los filósofos, las míticas figuras de los dioses prehoméricos se vuelven seres a imagen y semejanza del hombre, superiores a los mortales, si acaso, en un solo aspecto: la inmortalidad. Según la frase de Protágoras el hombre se convierte en "medida de todas las cosas". La religión y el arte se intelectualizan; se apodera de ellos la razón, gracias a la cual la filosofía griega llegó a sus fundamentales conocimientos. Ya Longino, en su *Tratado de lo sublime,* lamenta que los dioses se hayan degradado al nivel de hombres. Mientras que el arte arcaico con su estilo cúbicogeométrico, hieráticamente austero, saturado de tradiciones asiáticas y egipcias, aspira a lo sobrehumano y monumental (la Hera de Samos, el Apolo de Tenea), el siglo V a. C. adora las figuras de atletas (el Discóbolo de Mirón, la Amazona de Policleto), arte imitativo en que se admira la observación del fenómeno físico idealizado conforme a los cánones griegos. Esta vuelta a lo mundano que se verifica en el arte es a la vez su humanización. De ahí el atractivo que el clasicismo heleno ejerce sobre el mundo de la civilización occidental, cuyo ideal artístico, a excepción de las épocas, religiosamente determinadas, del románico y del gótico, ha sido siempre la glorificación del cuerpo humano.

El mito, medida de todas las cosas para el mundo del México antiguo, asigna al ser humano un lugar muy modesto. Según el Popol Vuh, los dioses crearon al hombre para que los adorara, para que con sus ofrendas (su corazón y su sangre) los alimentara y mantuviera sus energías, indispensables al ejercicio de sus funciones. El hombre es un humilde servidor de las deidades o, más bien, su ayudante en la gigantesca tarea de sostener el orden cósmico gracias al cual existe la comunidad y existe él mismo. Colaborar con los dioses para impedir que se produzca el caos —he aquí el verdadero sentido de esa existencia suya. El tema del arte —para usar este término familiar a nosotros, desconocido al México antiguo— es la interpretación del mito; su finalidad la creación de imágenes de los dioses y de objetos requeridos para el culto. El hombre es grande sólo en cuanto su obrar está en consonancia con los designios divinos. No hay ningún motivo para glorificarlo, para ensalzar su persona, sus hazañas, los acontecimientos históricos de que es protagonista. En las culturas clásicas de México, cuyas concepciones míticorreligiosas están reunidas en el Tonalámatl, no aparece su imagen, o sólo en casos excepcionales, cuando se trata de testimoniar la grandeza y omnipotencia de los dioses. Así, se representa al jugador de pelota, a quien su superioridad de atleta da derecho a morir, gloriosamente, en la piedra de los sacrificios, a llevar el mensaje de la comunidad hacia los dioses y a incorporarse a su séquito. Lo vemos en los relieves del Tajín. Lo vemos, inconfundible por su atavío, como vencedor ya decapitado en dos estelas totonacas: marcadores de juego de pelota, procedentes de Aparicio, Estado de Veracruz; de su cuello salen reptando siete culebras. Las siete serpientes significan chorros de sangre, la sangre derramada en el sacrificio.

Los dioses del México antiguo son encarnaciones de las fuerzas de la naturaleza, como ellas terribles, destructores, demoníacos. Son horripilantes, son grandes, no son bellos.

Sus imágenes no pretenden provocar emoción estética, sino furor religioso, ese furor religioso que arrastra al hombre hacia la piedra de los sacrificios. Representar a las deidades como hermosos seres humanos sería acercarlas a lo terrestre, sustraerlas a la esfera divina, privarlas de aquellas fuerzas mágicomíticas que las distancian de la realidad humana. En el México antiguo no hubiera sido posible una degradación de los dioses como aquella contra la cual protestó Longino, porque nunca se secó la fuente de su fantasía religiosa, nunca dejó de fascinarlo la vivencia de lo irracional. Pensando en las exorbitantes proporciones que tomaron los sacrificios humanos de los aztecas en los últimos decenios antes de la Conquista, podríamos llegar a inferir que ese furor y esa fantasía se intensificaron cada vez más.

El propósito del arte antiguo de México es dar expresión a lo inexplicable, a lo no aprehensible con los sentidos; dar expresión a intuiciones mágicas, a concepciones religiosas. Por su naturaleza es arte imaginativo y expresivo.

* * * * *

El descubrimiento artístico del México antiguo es un fenómeno reciente. Hace apenas unos cuantos años que en la conciencia y el juicio de las personas dotadas de sensibilidad para los valores plásticos empezó a operarse un cambio que convirtió en vivencia artística lo que había sido documento interesante de un remoto pasado etnológico. Se va descubriendo la originalidad y grandeza de esas obras, la potencia visionaria y el ingenio artístico de una humanidad arraigada en lo religioso, sin comprensión para los aspectos materiales y técnicos de la vida. Ya no preguntamos solamente qué es lo que se representa, de qué región proviene, de qué tiempo data —cuestiones de indudable importancia para el conocimiento del desarrollo histórico de esas culturas—; nos interesa también, y sobre todo, la manera cómo se representa. Sabemos que es preciso penetrar hacia capas más profundas, en aquellos subfondos espirituales, psíquicos, religiosos y sociológicos en donde se engendra la forma. Para recurrir a un ejemplo de nuestros tiempos: el rascacielos estadounidense, el de la Unión Soviética y el de México pertenecen a un mismo horizonte cultural, son un fenómeno característico de este siglo nuestro; pero en los tres países son por completo distintos los supuestos ideológicos y sociales, sin el conocimiento de los cuales podemos comprobar el hecho, pero no afirmar nada en absoluto acerca de su sentido y significación. En lo que concierne a las creaciones del México antiguo se trata de reconocer la concepción del mundo y las intenciones creadoras de que parte la concepción. Ya no basta saber que la Coatlicue es la máxima obra del arte azteca; procuramos comprender la mentalidad peculiar que se expresó en esta creación simbólica, pavorosa y sublime; queremos saber por qué ese éxtasis de lo religioso es característico del mundo azteca e inconcebible dentro del arte de Teotihuacán o el de Tula, que sin embargo constituían los admirados modelos de los aztecas. Tratamos de explicarnos por qué no existe ni puede existir en la Meseta Central el barroquismo, caprichoso y fantástico, de los altares mayas de Copán y Quiriguá. La greca escalonada, forma ornamental más singular de todos los tiempos, ¿cómo, desde qué actitud mental pudo convertirse en el ornamento típico de la Meseta Central (y también del Perú)? ¿Cómo nació ese extraño conjunto de formas? ¿Qué es lo que significa? Las grecas de Mitla se desarrollan en elegante escritura cursiva, las del Tajín ostentan un grafismo de tipo clásico y de clásica perfección. En ambos casos hay la aspiración al efecto monumental. ¿Por qué se manifiesta en formas tan distintas? ¿Cuál es, en qué consiste esa diferencia en la actitud espiritual que se traduce tan claramente en el arte? Se descubre que la calavera, motivo tan frecuente en la plástica mexicana, no es el macabro *Memento mori* de la civilización occidental; que, siendo fruto de una postura radicalmente distinta ante la vida y la muerte, tiene también un sentido radicalmente distinto, y que para comprenderla hay que partir de esa postura disímil.

La resurrección del México antiguo como fenómeno artístico la han hecho posible dos factores: primero, la comprensión más profunda de la evolución histórica, el conocimiento más exacto de la estructura y los horizontes de las diferentes épocas, a raíz de las importantes investigaciones de los arqueólogos, y, segundo, un viraje en la conciencia estética, su emancipación de las normas y pautas establecidas por el siglo XIX desde su exclusiva orientación hacia el arte clásico y clasicista de Europa. Hasta Jacob Burckhardt, seguramente uno de los espíritus más comprensivos de esa centuria, estaba tan convencido de que el arte es sinónimo de la belleza ideal de tipo rafaelesco que escribió, en la primera edición del *Cicerone* (1855), acerca de Miguel Ángel: "Ahora bien: aquel que pide al arte sobre todo lo bello sensible no quedará satisfecho de ese Prometeo, con sus figuras tomadas del mundo onírico de las posibilidades (muchas veces extremas) ... Sus ideales [de Miguel Ángel] de la forma jamás podrán ser los nuestros. ¡Quién desearía, por ejemplo, que sus figuras femeninas cobraran vida! ... Hay ciertas partes y proporciones que casi nunca modela en forma normal: la altura del tronco, el cuello, la frente y los huesos de la órbita, la barbilla, etc. ..." (En las siguientes ediciones del *Cicerone*, obra ampliamente difundida, el nuevo editor eliminó los pasajes citados y otros más en que el clasicista Burckhardt rechaza el barroco, tildándolo de manierista). Esta falta de comprensión para Miguel Ángel en tan grande historiador del arte y de la cultura, es seguramente un caso extremo. Pero lo típico en él es esa actitud que no parte de la obra, de las intenciones creadoras y la concepción del artista, sino de una doctrina estética, * o sea de un prejuicio, que ve el valor y la significación de una obra de arte en la reproducción de lo "bello sensible" y en la equilibrada armonía del arte clásico. ¡Cómo se hubiera espantado Burckhardt al imaginarse a la Coatlicue bajando de su zócalo y cobrando vida!

* Pascal —ya en la primera mitad del siglo XVII— dijo: "¡Qué necedad admirar en el arte objetos cuyos modelos no se admirarían!"

Claro que podemos considerar anticuada aquella estética que quisiera ver confirmada en la obra de arte la propia vivencia de "lo bello sensible"; que realiza ante ella un acto de *Einfühlung*, para usar el término acuñado por Lipps. Ya la refutó Wilhelm Worringer en *Abstracción y Naturaleza*, al decir: "Con la teoría de la *Einfühlung* estamos perplejos ante las creaciones artísticas de muchas épocas y pueblos. No nos ayuda en absoluto a comprender, por ejemplo, todo el inmenso complejo de obras de arte que no caben dentro del estrecho marco del arte grecorromano y del arte moderno occidental... Todos nuestros juicios sobre los productos artísticos del pasado adolecen de esta unilateralidad..." Pero esa "unilateralidad" tradicional, inculcada a varias generaciones, sigue determinando el criterio de muchos, precisamente de aquellos que poseen ciertos conocimientos en materia de arte, cierta preparación estética, y para quienes la grandiosa expresividad de la Coatlicue no significa nada porque carece de la belleza sensible de la Venus de Milo. Lo que distingue a la Coatlicue de la Venus de Milo no es únicamente su estilo artístico, sino ante todo el diferente concepto que tenían de la deidad el griego y el azteca. La distinta vivencia metafísica hace que sea también distinta la concepción artística de que nacen las obras. El Xipe con la piel de un sacrificado que le cuelga sobre los hombros, no es un bello adolescente, destinado a proporcionar al espectador un goce estético; es la configuración plástica de un concepto mágicorreligioso. La piel de la víctima simboliza el rejuvenecimiento de la naturaleza, es la nueva vestimenta que la tierra se pone en primavera, el nuevo verdor de las milpas, de las matas que empiezan a brotar.

Tenemos que darnos cuenta de que el arte antiguo mexicano no representa objetos y sucesos concretos, sino que fija ideas, representaciones y conceptos metafísicos. La serpiente monumental no se ideó y creó para reproducir el fenómeno físico del animal, ni tampoco para servir de mera decoración; para el creador, como para el contemplador, era un símbolo sagrado. El águila encarna a Huitzilopochtli, el jaguar es Tezcatlipoca, la serpiente emplumada, invento —permítaseme decir invento surrealista— de una imaginación religiosa, es Quetzalcóatl. Son encarnaciones, "símbolos de sustitución" de las deidades, que aparecen, actúan y se veneran en esta forma. El fenómeno real, captado con asombrosa capacidad para la observación de la naturaleza —lo que se hace patente sobre todo en las esculturas aztecas de animales— sufre una metamorfosis en la conciencia del hombre de pensamiento mágico: recibe un sentido simbólico desde lo metafísico. Y para poner distancia entre el fenómeno real y la creación, se emplean todos los medios de un expresionismo imaginativo. En esas obras no cuenta la dosis, mayor o menor, de realismo a que se recurre o que se conserva en el proceso de transmutación, sino la intensidad con que se expresa aquel nuevo sentido, aquel simbolismo religioso. Pablo Uccello, pintor de la célebre *Batalla de Jinetes* del Louvre, autor de un tratado sobre la perspectiva, escribe: ". . .Por lo tanto el pintor pintará al mundo tal como lo ve y no tal como es". Es éste el concepto que rige el crear artístico de la civilización occidental desde fines del siglo XIV hasta (digamos) el impresionismo. El artista precortesiano no se interesaba por la apariencia de las cosas, que consideraba fútil e insignificante; veía lo esencial en el sentido oculto dentro del fenómeno. Su propósito era representar al mundo "tal como es", tal como era según sus concepciones.

La realidad del México antiguo era el mito; en él y por él se explicaban todos los fenómenos. Descifrar las acciones de las deidades, su sentido y su significación para la comunidad, le incumbía a la ciencia, a esa ciencia que el Tonalámatl compendiaba en los signos de su escritura pictográfica.

Al arte le tocaba convertir ese saber de la vida, las funciones y actos divinos, en vivencia de la comunidad. De acuerdo con la meta de ese arte, la de traducir las concepciones religiosas a un lenguaje plástico, su ver es un ver visionario. Y ante tales obras no interesa que lo ópticamente perceptible esté captado con mayor o menor exac-

41

titud. Para descubrir la monumentalidad y delicadeza de las creaciones precortesianas, su vigor y perfección plástica, en fin, su alto valor artístico, hacía falta que la nueva estética —a la cual corresponde un nuevo arte: el de este siglo XX— se rebelara contra el dominio exclusivo de pautas válidas únicamente para determinado sector del arte europeo; que se remontara a los impulsos creadores hechos expresión en la obra y que se adoptara como normas rectoras del juicio artístico el "valor de esencia" de la forma y de la voluntad de arte.

*　*　*　*　*

El arte es en el México antiguo uno de los medios de que se sirve el culto y que el culto necesita. Arte aplicado, pues, y en una comunidad cuya existencia gira en torno a la fe y a la observación de los ritos, una necesidad social, necesidad colectiva, de importancia vital.

El artista era miembro del clero. La ejecución de la obra de arte estaba rodeada de misterio. Según lo que refiere Landa en su *Relación de las Cosas de Yucatán,* los creadores de las imágenes de dioses permanecían aislados durante su trabajo, encerrados en chozas exclusivamente destinadas a este propósito, donde nadie debía verlos. Estaban sometidos a un ritual particular: quemar copal, extraerse sangre como ofrenda, ayunar y abstenerse del comercio carnal. Cualquier transgresión de este reglamento se consideraba como un grave delito y un serio peligro. Durante su ejecución, escribe Landa, las imágenes de los dioses se salpicaban con sangre y se incensaban con copal. En muchas estatuas aparece en el centro del pecho un hueco semiesférico, en que antes se había encontrado el corazón (de oro o de jade). Sólo después de colocado el corazón, que se embutía en solemne ceremonia, la imagen se consideraba divina.

La fuerza mágica que actuaba en la obra le confería significación y valor. El artista era un encargado de la comunidad; como persona carecía de importancia. No conocemos el nombre de un solo maestro de los tres milenios que abarca aproximadamente el arte precortesiano. El prestigio del artista, su ansia de gloria entre los contemporáneos y de fama póstuma, su afán de originalidad, su aspiración a un éxito material —todo aquello que en los mundos artísticos más cercanos a nosotros constituye un poderoso aliciente y que con tanta frecuencia da lugar a un fatal efectismo y a la corrupción del crear— no podía existir en el México antiguo, donde la producción de obras de arte era parte del culto.

De las concepciones artísticas del México prehispánico sólo sabemos lo que nos dicen sus creaciones fielmente conservadas para nosotros por el suelo. Tanto como en el arte griego arcaico, y quizás en forma aún más marcada, se manifiesta en esas obras la tendencia a lo hierático y lo monumental, un afán de sustraer la obra de la esfera de lo profano hacia la de lo sublime y lo significativo —en el caso del arte prehispánico hacia la esfera de lo mitológica y religiosamente significativo. En Grecia va surgiendo después de las guerras médicas un racionalismo que desplaza cada vez más la fantasía religiosa y que ve el valor artístico de la obra en la captación de lo material físico. En la plástica del México antiguo se puede comprobar, en cambio, una evolución inversa. No sólo que no haya tal debilitamiento de la imaginación numínica: el éxtasis religioso hacia el cual tiende el pensamiento —también el pensamiento artístico— de los pueblos precortesianos, más bien aumenta en intensidad. La Coatlicue pertenece a la época tardía inmediatamente anterior a la Conquista, mientras que en las culturas preclásicas y el arte tarasco predomina, en la mayoría de las creaciones, un acusado realismo, que parte de la observación del fenómeno físico y no aspira a otra cosa. Esto se explica por el hecho de que las concepciones metafísicas expresadas en las obras de las culturas clásicas todavía no estaban desarrolladas y por lo tanto no podían determinar la creación artística. Pero de ahí que la superación de la forma natural, su transmutación en elementos cúbicogeométricos, se considerara como lo más elevado, como "el progreso".

El artista del México prehispánico no reproduce realidades; crea símbolos. En contraposición con una actitud artística cuyo ideal es el análisis de lo perceptible, se manifiesta en la creación de símbolos el esfuerzo por encontrar una explicación de los fenómenos de la realidad, una orientación en el Universo que haga comprender al hombre lo incomprensible: la realidad. (El idioma alemán tiene además de la voz "Symbol", símbolo, la palabra "Sinnbild", imagen del sentido). La variedad de los fenómenos es caótica; desconcierta y alarma al hombre. Pero inconcebible —tanto para el hombre primitivo como para el espíritu filosófico— es que el Universo no sea sino un caos, juego absurdo de fuerzas que actúan al azar. Debe haber un orden y una unidad: no puede ser de otro modo. Las ciencias naturales de nuestra época han descubierto la clave del cosmos en las energías que obran dentro de la materia; en la materia, que es energía. El México antiguo creía en fuerzas supraterrestres, sobrenaturales: las deidades. Ellas crearon el orden y lo mantenían en pie. En estas concepciones religiosas está arraigada la concepción artística. Los recursos plásticos, idénticos en todas las épocas y en todo crear artístico, se aprovechan en este arte para hacer patente la cualidad mágicomítica inherente a las cosas, oculta por la apariencia exterior. En ello consiste la peculiaridad del arte antiguo de México, y desde allí hay que contemplarlo y valorarlo artísticamente.

Hay una representación de Ehécatl, procedente de Calixtlahuaca (Fig. 64). Una figura masculina, en pie, de alrededor de dos metros de altura, calzada con sandalias, vestida únicamente con taparrabo. Delante del rostro lleva una máscara en forma de pico de ave. Este pico de ave, masa horizontal, sale ampliamente de la superficie del rostro, destruyendo la unidad de la estructura artística, de tendencia acusadamente vertical. Ello sorprende sobre todo en una creación de la cultura matlazinca, que en la cueva de Malinalco (Fig. 60) supo dar a los animales simbólicos de los guerreros Águilas y Tigres la forma, grandiosamente estilizada, de bloques unitarios y que a la vez logró convertirlos de manera muy ingeniosa en acentos de una rítmica unidad espacial. (El arte azteca, en una estatua de Ehécatl conservada en el Museo Nacional, México, (Fig. 70), supo evitar esta disposición formal, desagradable para el artista, representando al dios en forma de figura sedente, postura típica de aquella producción artística. Brazos y piernas forman uno como zócalo. Sobre él descansa el pico de ave, transición a la cabeza, cuya forma esférica, una especie de cúpula, se contrapone enérgicamente al espacio aéreo). El pico de ave es un símbolo que caracteriza a Quetzalcóatl en su calidad de Ehécatl, alusión al soplar del viento que abre paso a las nubes cargadas de lluvia. La máscara transforma a la figura masculina, humana, en deidad. También en la conciencia del espectador ocurre esta transformación: la estatua se convierte para él en encarnación del dios del viento, en expresión de un concepto metafísico. El procedimiento de que el escultor se sirvió en este caso es relativamente sencillo, por no decir primitivo. Dos elementos de la realidad, pertenecientes a diferentes esferas —el cuerpo humano y el pico de ave—, se funden en una nueva unidad fantástica e irreal.

El jaguar, fiera temible, símbolo del no menos temible Tezcatlipoca, es también su disfraz, con que suele aparecer ante los hombres. El jaguar, cuyo rugido hace temblar al hombre; que surge frente al caminante nocturno, terrible y amenazador, ¿es la fiera o es acaso la deidad misma, el juez implacable, el omnipotente destructor? En la conciencia, o más bien en el subconsciente, se opera un proceso de transmutación: el resultado es una amalgama en que ya no es posible distinguir el fenómeno zoológico del concepto metafísico. La serpiente, animal que se arrastra por el suelo, se enrosca hasta formar un monumento gigantesco: en sus fauces aparece la cabeza de Quetzalcóatl. Esta ambigüedad determina también la visión artística. El escultor, que se sirve del jaguar para caracterizar a Tezcatlipoca, no plasma al animal —aunque lo observa y lo reproduce en sus rasgos esenciales— sino al concepto de Tezcatlipoca, a quien convierte en presencia plástica sensible por la alusión al jaguar, a las propiedades comunes a ambos. El jaguar que aparece mostrando los dientes —vigilante del alimento de los dioses— en los monumentales vasos de corazones de la cultura teotihuacana (en el Museo Británico) y de la cultura azteca (en el Museo Nacional, México), ¿es realmente representación de un jaguar? ¿No es más bien símbolo de la deidad, cuya condición terrorífica se hace palpable e impresionante por la forma de fiera que adopta? La imponente imagen de un jaguar, encontrada no ha mucho en Chichén Itzá, en la pirámide de Kukulcán, es —como la escultura delante del Palacio del Gobernador en Uxmal (Fig. 43)—, el trono-jaguar del soberano, atributo de su dignidad y omnipotencia.

El pensamiento mágico del hombre precortesiano no hubiera aceptado como explicación el hecho de que la puesta del sol es un fenómeno físico provocado por la rotación de la tierra. El mito explica el fenómeno de varias maneras: la puesta del sol es la agonía del dios solar; el astro entra en el seno de la tierra o sea del mundo inferior, o bien lo devora el jaguar, demonio de las tinieblas. Así, de acuerdo con esta última interpretación, lo representa un relieve en una roca cerca de Tenango: el jaguar devorando el disco solar.

Las fachadas de las construcciones mayas, sobre todo las del estilo Puuc —el Codz Pop en Kabah, los palacios de Zayil y Hochob— están cubiertas de mascarones de Chac, dios de la lluvia, o de narices de Chac, abreviatura jeroglífica más lapidaria. Por muy decorativo que sea este adorno escultórico, no era caprichoso invento de la fantasía plástica, destinado a embellecer las obras arquitectónicas, sino una especie de conjuro mágico: encomendaba el edificio a la protección de la poderosa deidad. Y el mérito del artista consiste en la manera genial de que supo resolver su problema: convertir lo que era exigencia del mito en elemento de la configuración formal.

Sabido es que en el arte azteca se manifiestan un don de observación agudo y, a la vez, el talento y la acusada voluntad artística de sujetar esa observación de la realidad a las solicitaciones de lo arquitectónico, a una gran disciplina formal. El aspecto monumental de sus creaciones se debe a aquel talento, a aquella voluntad de arte. Asombroso testimonio de ese "realismo" es la figura de Tlazoltéotl, de nefrita gris verdoso (en la colección Bliss de Washington), representada como mujer que da a luz (Fig. 71). En toda la historia del arte no hay ninguna obra en que el acto biológico del parto se reproduzca tan fiel y directamente hasta en los pequeños detalles, por ejemplo en el dolor que expresan las facciones de la mujer. Leonardo, cuyo enorme interés por todos los fenómenos físicos testimonian los miles de dibujos en que los fijaba, habría sentido la más alta admiración por ese escultor azteca, y con muchísima razón. Pero por fuerte y casi espantoso que sea el realismo con que está plasmado este grupo, hay que darse cuenta de que el artista no se propuso la mera reproducción de un acto fisiológico a fin de ilustrar al contemplador sobre el fenómeno del parto, el llegar al mundo, el dar a luz. Tlazoltéotl era la diosa de la tierra, fecundada todos los años en solemne ceremonia, en la fiesta de Ochpaniztli del onceavo mes, para dar a luz al joven dios del maíz —acto mágicosimbólico, sin el cual hubiera sido inconcebible el reverdecer de las milpas. También esa escultura era para el hombre precortesiano una imagen simbólica, símbolo de la resurrección del dios del maíz desde el seno de la tierra, símbolo de la energía vital. El maíz era "nuestra carne, nuestro cuerpo". Y hay que tener presente que en el México prehispánico la voluntad artística coincidía con la voluntad religiosa. Hasta el esteticismo maya, de que habla Toscano (*Arte precolombino de México y de la América Central*), era un esteticismo míticorreligioso.

Por encima de la entrada a la Iglesia de San Marcos en Venecia se hallan colocados cuatro caballos de bronce, procedentes de un arco de triunfo romano. Para los venecianos, ansiosos de convertir el templo de su santo patrono en lugar de prodigiosa pompa y magnificencia, adornándolo con obras de arte de muchos países y continentes, de Bizancio, del Asia Occidental y Central, de Egipto y Grecia, era una gloria más enriquecer a San Marcos con esas antigüedades romanas. No hay relación alguna entre ellas y la fe a que servía la iglesia o el santo cristiano a quien estaba consagrada. Pero la experiencia estética ante esa decoración grandiosa, verdaderamente monumental, es tan profunda, tan fascinante, que ni los venecianos ni los muchos millones de extranjeros que desde hace siglos se dejan cautivar por San Marcos se han percatado de esa incongruencia. Su calidad de grandes obras de arte, superadas por muy pocas del pasado romano, les confiere prestigio y las hace dignas de figurar en una construcción en que todas las Bellas Artes se ponen al servicio de Dios. En la civilización occidental es posible que la emoción estética y la emoción religiosa coexistan una al lado de la otra, independiente una de la otra, idénticas sólo en su intensidad.

* * * * *

La creación de símbolos (los cuales no hay que confundir con la alegoría, su sustituto, que se sirve de los recursos plásticos para evocar ideas y temas) presupone el desarrollo de un lenguaje de formas apropiado para representar conceptos. La forma orgánica es traspuesta a forma cúbicogeométrica, a fin de elevar la obra por encima de lo individual y convertirla en expresión de concepciones metafísicas. La figura adopta una postura estatuaria; inmóvil, hierática, representa una existencia intemporal, no una acción sujeta al tiempo. De ahí que ese arte rechace la descripción. No se narra nada, no se relata nada. Representar los actos y el actuar de las deidades está reservado a los códices, es decir, a la escritura pictográfica. Los murales de Teotihuacán —himnos pintados en las paredes— deben su monumentalidad a dos elementos: la simetría y el ritmo. Simetría y ritmo: esto es expresión —artística y religiosa— de lo sublime, transformación de lo temporal y terrestre en representación metafísica. Lo mismo puede aplicarse a la plástica. La figura no es solamente estática, también está estructurada simétricamente. No existe lo que el Occidente admira como ingenio, como inventiva artística: la variación de temas y formas; lejos de contribuir a la monumentalidad la disminuiría. La repetición no se teme en el detalle ni en el conjunto (contémplense la Chalchiuhtlicue y la Coatlicue (Fig. 67) desde este punto de vista); no se considera monótona, indicio de falta de imaginación. La repetición rítmica es expresividad, es afirmación enfática, es conjuro mágico. Ante las cincuenta y dos cabezas serpentinas, correspondientes a los cincuenta y dos años de la rueda calendárica, que surgen silbando del zócalo de la pirámide de Tenayuca (Fig. 62), se estremece el fiel que se acerca al santuario; y para esto, para producir devoción y éxtasis religioso, las idearon y esculpieron. Las trescientas sesenta y cuatro cabezas de Quetzalcóatl y de Tláloc en la pirámide de Quetzalcóatl en Teotihuacán, los frisos de jaguares y águilas en la pirámide de Tula, el meandro de serpientes en Xochicalco, las filas de calaveras en la pared del Juego de Pelota de Chichén Itzá, la rítmica repetición de las grecas de Mitla, de los nichos del Tajín —todo esto tiene su origen en la intención de prestar divinidad a lo divino.

Otro recurso para crear vigor, grandeza y elocuencia plástica, es estructurar el conjunto como masa cerrada de bloque, característica fundamental de la escultura del México antiguo, como lo era del Egipto y del Asia antigua. La forma de bloque supone sujeción a una disciplina arquitectónica y eliminación de todo elemento formal meramente decorativo e ilustrativo. Lo temático se supedita a la concepción formal. La masa se despliega como unidad cúbica, tanto en la plástica monumental como en la menor (por ejemplo en las figuritas reproducidas en la Fig. 9); se subdivide en grandes planos de amplias curvas, que absorben todo detalle innecesario para el efecto de conjunto. (Baudelaire, cuya sensibilidad artística supera frecuentemente las máximas de su siglo, habla, refiriéndose al México antiguo, a Egipto y a Nínive, de la visión grande de las cosas y del afán de "conseguir, ante todo, un efecto de conjunto"). Así nace otro contraste formal: tridimensionalidad contra bidimensionalidad, masa cúbica estructurada con unidades de planos. No se recurre al hueco, al "vacío plástico" —o sea a la irrupción de masas aéreas en la masa pétrea— o sólo muy rara vez, como en la guacamaya del Juego de Pelota de Xochicalco o en las hachas totonacas, y entonces como elemento de la estructura arquitectónica o para aumentar la plasticidad del conjunto. Todos los medios de expresión se emplean funcionalmente: su función es formar una determinada estructura plástica, y todo lo que no sirve a este fin es eliminado con máximo rigor. Esto se refiere a los altares y cabezas colosales de la época de La Venta (Fig. 5). Se refiere a la estatuilla en jadeíta del dios-pájaro de San Andrés Tuxtla (Fig. 11) —según la fecha bactúnica grabada en ella, 162 d.d.C., una de las primeras creaciones de la plástica precortesiana—, a los relieves de los *Danzantes* de Monte Albán (Figs. 50 y 51), a la figura de un efebo procedente de la Huasteca (Fig. 23), a Teotihuacán, a las cariátides de Tula (Fig. 59), a las esculturas aztecas de animales (Figs. 75 y 76), al Chac Mool de Chichén Itzá (Fig. 44) y hasta cierto punto también al altar de la *Gran Tortuga* de Quiriguá, en el cual la ornamentación maya, simbólico-esotérica, se despliega dentro del contorno concluso de la masa de bloque. En mi libro *Arte Antiguo de México* (pág. 179) me expreso en los siguientes términos sobre la Chalchiuhtlicue, obra principal de la escultura teotihuacana: "...es más una obra arquitectónica que una escultura", un relieve esculpido en un bloque enorme cuya silueta contornea la figura de la diosa. También el creador de la Coatlicue da a su obra estructura de bloque, bloque de planta cuadrangular; sólo que en la Coatlicue la tendencia teotihuacana a lo plano sucumbe a la sensualidad artística de los aztecas, traducida en movimiento cúbicoplástico.

El hombre precortesiano era gran observador de la naturaleza. Así como registraba el movimiento de los astros en forma exacta, mucho más exacta que la astronomía europea en tiempos de la Conquista, observaba atentamente todos los demás fenómenos de la naturaleza orgánica e inorgánica —las materias colorantes, las plantas medicinales, etc.— y sabía aprovecharlos para sus propósitos. Esa intimidad e intensidad de su ver se nota también en su producción artística. Las grandes representaciones de serpientes del Templo Mayor de Tenochtitlán, concebidas como partes de un monumental conjunto arquitectónico, fueron objeto de una investigación del arqueólogo Moisés Herrera, (*Detalles zoológicos de veinticinco serpientes encontradas en la ciudad de México*, en *Ethnos*, Vol., I) encaminada a averiguar qué clases de serpientes habían servido de modelos. En tal investigación se comprobó una serie de detalles tan característicos que no puede haber duda de la especie de la cual partió el escultor en cada caso. Las cabezas de La Venta, aunque estructuradas como masas abstractas y geométricas, permiten sin embargo inferir qué tipo de hombre vivía a la hora de su creación en aquellas comarcas de la región del Golfo: seres gordos y chaparros, con las quijadas anchas, chatos, con esa boca extraña que se designa como "boca olmeca", de labios gruesos, ojos mongoloides, según los describe Covarrubias (*Mayas y Olmecas*). Pero por mucho que esos detalles realistas satisfagan una actitud frente al arte cuyo criterio es la inconfundible reproducción de lo real, no debemos atribuirles un sentido y un valor que no tienen. Jamás debemos perder de vista que, aunque haya cierto realismo en los detalles, la "naturalidad" no es de ninguna manera la meta del arte precortesiano (como por otra parte tampoco existía la deliberada intención de crear abstracciones de la realidad). Los que se acerquen a la plástica del México antiguo sin tomar en cuenta sus supuestos espirituales ni los propósitos expresivos realizados en ella, la considerarán "primitiva" y, a pesar de aquellos detalles más o menos realistas, como no suficientemente adelantada para poder reproducir con apego a la realidad la apariencia óptica de las cosas; no comprenderán que este arte emplea todas sus energías creadoras para desmaterializar lo corpóreo, para espiritualizar lo material.

El ejemplo más imponente, que tiene además la venta-

51

ja de darnos la clave de ese tipo de concepción, es la cabeza designada por Stirling (*Stone Monuments of Southern Mexico*) como número 1 (Fig. 5); procede de La Venta, es decir, es de una época anterior al desarrollo de las culturas clásicas. Sobre un cilindro descansa una semiesfera. La redondez de bulto, manifestación más elemental de la sensibilidad plástica, es la base fundamental de la creación. La masa habla como masa. No hay partes que sobresalgan del volumen total fijado como forma básica; las depresiones casi no pasan de ser incisiones que articulan la superficie, sin modificar la estructura general. Los detalles que el artista quiso indicar —la barbilla, la boca, la nariz, los ojos, etc.— se hallan esculpidos en la superficie apenas con la profundidad necesaria para caracterizar. El tocado en forma de yelmo se ajusta estrechamente al cráneo, a la frente y a las mejillas. A qué grado se esforzó el escultor olmeca por conservar esa unidad lo demuestra el hecho de que la muesca en forma de V, que encontramos en numerosas cabezas olmecas y totonacas, no está recortada sino que constituye un ornamento plano. Esta muesca representa el jeroglífico de la luna, signo de la fecundidad, que caracteriza aquellas cabezas como imágenes de una deidad de la vegetación.

La otra "realidad" de que arranca la creación es el material: la piedra. Su carácter pesado, duro, macizo —carácter de bloque—, codetermina la forma y confiere a la obra la "petricidad", término, acuñado por Henry Moore, que significa "la lealtad al material". Es esa lealtad al material que el gran escultor inglés aprecia ante todo en la plástica prehispánica de México, la cual, en su opinión, "no ha sido superada en ningún período de la escultura en piedra", gracias a "su tremendo vigor, que nunca redunda en perjuicio de la finura, su asombrosa variedad de facetas, su fecundidad creadora de formas y su acercamiento a la forma netamente tridimensional". La concepción plástica parte de la piedra, del material en que se realiza. El arte olmeca no crea cabezas, cabezas sin más; crea cabezas de piedra.

Esa "lealtad al material" ensalzada por Henry Moore, es una de las cualidades características de todo arte precortesiano, arte que aspira a la máxima perfección del oficio. No sólo en las estelas de la Cultura de La Venta, en sus cabezas y altares colosales, sino en las creaciones de todas las antiguas culturas mexicanas, hay que admirar la extraordinaria maestría con que está labrada la piedra, en muchos casos piedras durísimas como el jade o el cristal de roca. También los demás materiales usados —la concha del caracol marino, el oro, el cobre y la arcilla— están trabajados con mucha comprensión para su peculiaridad y las específicas posibilidades expresivas inherentes a ellos.

Es obvio el esfuerzo por realizar la concepción artística sin consideración al trabajo, al tiempo y a dificultades técnicas, y por realizarla con tal perfección que ante esas obras bien cabría hablar de "genialidad de la artesanía". Cuando Vaillant (*The Aztecs of Mexico*) dice de los aztecas que no tenían palabra equivalente al término "Bellas Artes", añade: "En cambio, reconocieron el valor de la habilidad en los oficios". Esto es particularmente notable tratándose de civilizaciones que para labrar la piedra contaban con instrumentos harto primitivos. No conocían el hierro; para cortar y esculpir usaban cuchillos de obsidiana. En muchos casos pulían la superficie con obsidiana u otras piedras duras para darle lisura, brillantez y belleza. Los artífices se afanaban por alcanzar una exactitud absoluta, también en los detalles. A esa perfección de la artesanía se agrega en muchos casos, como en los relieves de Palenque y Bonampak (Figs. 30 y 33) una fascinante sensibilidad. También desde este ángulo es un ejemplo convincente aquella cabeza de La Venta, que une la monumentalidad de la concepción con la esmeradísima ejecución del detalle. Evoquemos asimismo el minucioso trabajo de filigrana de las figuras y ornamentos mayas, que cubren, inextricablemente enlazados, las fachadas de Uxmal, las cresterías de Palenque y las estelas de Copán y Quiriguá.

La Cultura de La Venta fue, según acertada frase de

Alfonso Caso, "una cultura madre", no sólo en el sentido de que desarrolló concepciones míticorreligiosas, posteriormente elaboradas por las culturas clásicas, y condensadas en aquel sistema que refleja la espiritualidad del hombre precortesiano: también creó las normas y tendencias que determinarían su actitud artística y le prestarían originalidad frente a las demás grandes culturas artísticas del mundo. Normas y tendencias; no un esquema fijo, pero sí una orientación: la aspiración a lo estatuario y monumental, a los valores funcionales de los medios expresivos; la aversión a lo meramente descriptivo, a la mera reproducción. Claro que no podemos hablar de un "neo-Laventismo" (análogamente al neoclasicismo europeo); pero es evidente que el Chac Mool de Chichén Itzá, las máscaras toltecas, la Coyolxauhqui del Museo Nacional de México y aun figuras más modestas, como las representaciones aztecas de la diosa del maíz, deben su unidad plástica, la grandeza de su gesto, la intensidad de su efecto, a las normas y tendencias inherentes a esa civilización anterior, que determinan —consciente o inconscientemente— su concepción.

Como lo que aquella "cultura madre" lega a las civilizaciones posteriores es un modo de crear más que un contenido, las diversas tribus pueden desplegar libremente su idiosincrasia y también la peculiaridad especial y específica de su fantasía artística.

* * * * *

Una plástica monumental no aparece en el México antiguo hasta en la época de La Venta, y entonces en forma de monolitos gigantescos. Las civilizaciones arcaicas, según lo testimonian las excavaciones, crean una escultura cerámica de tamaño pequeño. Lo que distingue al arte de las culturas clásicas del de las preclásicas es, en lo esencial, el tipo de su actitud religiosa. Concepciones míticorreligiosas las había también en las épocas preclásicas, pero no conocemos su índole y naturaleza; sólo podemos vislumbrarlas contemplando los objetos excavados, en este sentido no muy elocuentes. Aquellas culturas preclásicas no fueron primitivas. Sus productos dan testimonio de una civilización de nivel considerable y de alta capacidad técnica y artística. Muchas piezas, especialmente de Tlatilco, manifiestan en la visión del objeto natural y en su reducción a forma plástica, una fina y hasta refinada sensibilidad artística.

Su religiosidad, en cambio, puede considerarse primitiva en comparación con la de las altas culturas posteriores, lo que demuestran igualmente los innumerables hallazgos de Tlatilco. Apenas se encuentran entre ellos representaciones de deidades o formas simbólicas de que podamos deducir la existencia de un culto de cierto rango espiritual. La forma de la representación corresponde a los motivos profanos de esa plástica: animales y figuritas femeninas desnudas en inagotable abundancia (Figs. 1a, b, 2a, b, y 3). No hay estilización propiamente dicha. En la captación del fenómeno óptico notamos un visible esfuerzo por reproducir el objeto característica y fielmente; fielmente no en el sentido de un realismo académico, sino en el de una voluntad de arte que renuncia a interponer, entre el objeto natural y la obra, una concepción espiritual, sea ésta la que fuere. Tlatilco pertenece a una etapa en que todavía no existe el sistema religioso del Tonalámatl; en que la visión todavía no está determinada por las interpretaciones del cosmos que da el mito.

El arte teotihuacano que brota de ese sistema religioso, entretanto desarrollado, perfeccionado y convertido en norma modeladora de toda la existencia, ya no acusa características algunas del realismo tlatilqueño. Los temas de que parte son enteramente distintos. La representación de mujeres desnudas ya no existe, ya no interesa. Meta exclusiva del arte es, como entre los mayas, los zapotecas y los aztecas, la representación de las deidades y la creación de signos simbólicos que sirvan para interpretar el mito. No se trata de un mero cambio en la temática. Las nuevas concepciones, para las cuales el fenómeno natural es encarnación de fuerzas sobrenaturales, divinas, sólo pueden

expresarse en un lenguaje formal que se aleje de lo ópticamente perceptible y que se preste para hacer consciente y
tangible el sentido más profundo que el mito ha introdu-
cido en la percepción sensorial. En esto se revela la importancia decisiva de la época intermedia denominada La
Venta, que es la época en que se opera una transformación radical del crear artístico. Las tradiciones arcaicas ya
no bastan. Con aquella nueva orientación hacia lo metafísico se forma todo un complejo de concepciones y conceptos imposibles de representar por medio de la reproducción del fenómeno real. Se va cristalizando también
un nuevo criterio. Lo sobreterreno y sobrehumano pide
dimensiones que rebasen la medida de lo solamente real.
Surge un anhelo de monumentalidad hasta entonces no
conocido, que se hace patente en aquellos altares gigantescos, aquellas cabezas colosales, aquellas estelas de tema mitológico.

La intensa observación de la naturaleza, característica
de gran parte de las creaciones arcaicas, no desaparece;
pero se sujeta a una nueva voluntad de forma, impuesta
por las nuevas vivencias religioso-espirituales. Así, la concepción adquiere un ímpetu visionario, que es lo que confiere a las cabezas de La Venta la dimensión de lo sagrado y monumental. Ellas son, además, un típico ejemplo de
la transmutación que se opera en un crear de tendencia
realista bajo la influencia de un pensamiento metafísico.
Una representación creada con cierto apego a la naturaleza, como lo es la cabeza de La Venta de que nos hemos
ocupado, se transforma en la imagen de un concepto, en
imagen cargada de conceptos. El hecho de que los olmecas fueran geniales creadores de formas, que sabían recurrir en la creación de sus obras —las grandes y las pequeñas— a valores plásticos funcionales, no basta para expli-
car la novedad, llamémosla así, del arte de La Venta, en
comparación con todo lo que se hacía y se había hecho
anteriormente en torno suyo. Lo decisivo es que los olmecas desarrollaron un idioma formal adecuado para dar expresión al pensamiento mítico. En épocas posteriores las

culturas clásicas adoptarán, junto con sus concepciones religiosas, su modo de ver y crear y su nueva actitud ante la creación artística.

Al través de un lento devenir, esta actitud dará lugar en el arte maya de la región del Petén a un barroquismo esotérico, a una fantasía formal errabunda y exuberante, que no se cansa de inventar arabescos y paráfrasis —contraste impresionante con la austeridad teotihuacana y la grandiosidad tectónica de Monte Albán. Fantasía tropical, feudalismo, no cabe duda. Pero no en último lugar se manifiesta ahí el carácter de misticismo que la religión maya asumió bajo la influencia de una teología especulativa. Es comprensible que ese misticismo, ese poder mágico de lo oculto, que profundiza la conciencia religiosa, no pueda expresarse, como lo hace Teotihuacán, en un lenguaje de formas diáfano, legible hasta para los profanos: con esto sacrificaría su carácter esotérico. Tiene que forjarse un arte como lo es el maya, cuya ambigüedad y riqueza asociativa evoca los fondos secretos en que se busca y se encuentra lo sagrado.

Mientras que en Yucatán la producción artística parece una perenne adoración a Quetzalcóatl-Kukulcán y Chac, el dios de la lluvia; mientras que la imaginación religiosa de los aztecas concibe el monumento sublime y terrorífico de la Coatlicue, en el Occidente de México, en la región de los tarascos y sus vecinos, surge un arte caprichoso, sensual y mundano, un impresionismo fascinante y nada monumental, que representa a hombres y animales tal como los observa; que procura aprisionar el movimiento del cuerpo con todas sus intersecciones y escorzos. En cuanto hay transformación de lo real, ésta obedece a un criterio estético y revela sensibilidad estética del más alto rango. Un crear artístico que contrasta fuertemente con el de las otras altas culturas del México antiguo.

La explicación es sencilla: los grupos tarascos no participaron en el desarrollo religioso de los demás pueblos. A pesar de que tenían un calendario parecido al azteca, y aunque veneraban algunos númenes, encarnaciones del sol y de la luna, sus experiencias religiosas giraban alrededor de un culto totémico y un culto a los muertos. Su pirámide, la Yácata, de estructura peculiar, distinta de la de los otros pueblos precortesianos, es un monumento mortuorio. Así como su actitud religiosa está más cerca de la cultura arcaica que de las clásicas, también su producción artística puede considerarse como un arcaico evolucionado. Toscano (*Arte precolombino de México y de la América Central*) menciona como característica formal de este arte su "aspecto arcaico". Para aquel mundo del arte tarasco, el mito no es la realidad de que parte la creación. Es natural, por tanto, que el tarasco llegue a otra forma expresiva que los pueblos cuyo pensamiento es pensamiento mítico; para quienes la realidad, única y suprema realidad, es el mito.

* * * * *

Fuera de las estelas, obras de elevado nivel artístico, ninguna huella de una plástica monumental zapoteca se ha encontrado hasta ahora. Fenómeno extraño en un pueblo que erigió Mitla y que llenó casi un milenio con la construcción de Monte Albán, su ciudad sagrada. Los relieves de los Danzantes (Figs. 50 y 51) —grandiosas creaciones que cubrían los muros de una pirámide— revelan la influencia de La Venta: son de una época anterior, de una cultura arcaica que había fundado un centro religioso en Monte Albán, centurias antes de la llegada de los zapotecas, que ocurrió aproximadamente en el siglo II d. d. C.

Los relieves de los Danzantes no son reproducciones de escenas de baile: aquella serie de figuras aisladas, dibujos de contornos esculpidos en la piedra magistralmente, con un grafismo de intensa expresividad, es encarnación de una idea. Lo que representa es ese ritmo, ese éxtasis religioso de la danza sagrada que era devoción a los dioses y conjuro mágico.

La plástica zapoteca se realiza en obras de cerámica: braseros y urnas, sobre todo urnas funerarias, que llevan en su lado delantero la imagen de un numen: la de la dei-

58

dad tribal Cocijo, del dios del maíz, de la diosa Siete Serpientes o del dios murciélago. (En el libro de Alfonso Caso e Ignacio Bernal, *Urnas zapotecas*, esas creaciones están reunidas y analizadas en su peculiaridad). Por lo general son figuras sedentes, llenas de majestad y grandeza. Los dioses están caracterizados por sus atributos. (A Cocijo, por ejemplo, lo distingue la lengua bifurcada que le cuelga fuera de la boca.) La cabeza la tienen inserta, por así decirlo, en un poderoso tocado de plumas, que muestra el signo del mundo de los zapotecas: las fauces de tigre, ampliamente abiertas.

Mientras que en La Venta se evita que el detalle caracterizante sobresalga plásticamente del volumen total —tendencia que más tarde, en Teotihuacán, se manifestará en el aspecto plano, bidimensional, en el efecto de relieve de la masa corpórea de tres dimensiones—, el arte de Monte Albán, igual en esto al de los totonacas, trabaja con fuertes contrastes plásticos. Una vigorosa sensualidad se expresa en formas movidas, en prominencias y depresiones que aspiran a un efecto pictórico de luces y sombras. Es cierto que se trata de un movimiento exclusivamente plástico. La figura misma está representada estática. La ciñe un contorno nítidamente perfilado, cuya unidad plástica no es destruída por partes salientes. En esa capacidad de supeditar varios detalles, y detalles movidos en vario sentido, a una disciplina arquitectónica que deja amplio margen a la fantasía hay que ver la ingeniosa dialéctica de la escultura zapoteca. La voluntad artística de que brota su monumentalidad se basa en una consciente comprensión de los valores plásticos.

La mayoría de esas urnas se encontraron en cámaras mortuorias. Las figuras que las decoran son imágenes de númenes protectores, compañeros del muerto en su peligroso camino hacia el mundo inferior, como lo son los "nueve Señores de la Noche" pintados sobre las paredes de la Tumba 105 de Monte Albán. Se enterraban con él los objetos de su propiedad (de ahí las extraordinarias joyas que contenía la Tumba siete de Monte Albán). También las cerámicas halladas en Tlatilco —importante ciudad funeraria que data de tres mil a dos mil años a. C.— fueron probablemente ofrendas mortuorias. Se entregaban al muerto provisiones de alimentos y bebidas (de ahí las vasijas cerámicas rescatadas en exploraciones de tumbas, vasijas hechas a propósito, frecuentemente decoradas con representaciones antropomorfas y zoomorfas.) Cuanto más distinguido el difunto, cuanto más alta su posición social, tanto más ricas y suntuosas las ofrendas funerarias. Entre ellas no debía faltar el perro, para ayudarle, en calidad de guía, a atravesar un caudaloso río (de ahí las numerosas representaciones de perros, (Fig. 80) muchos de los cuales llevan la máscara de Xólotl, conductor divino de los muertos, un tipo de figura en que la cerámica de Colima alcanzó su más alta perfección). Se supone también, y con buenas razones, que gran parte de las caprichosas figurillas cerámicas del Occidente de México —representaciones de hombres y mujeres, guerreros, músicos, enanos, acróbatas, bailarines y bailarinas— no eran otra cosa que las efigies de las personas que en vida del gran señor habían formado su séquito y que lo acompañaban a la tumba para que en el más allá no le faltara ni compañía ni servidumbre.

Una de las concepciones capitales del pensamiento mágico de los pueblos del México antiguo, es la indestructibilidad de la energía vital. Esta puede manifestarse con diferentes apariencias, pero es imposible que perezca. Según Sahagún, se consideraba la existencia terrestre como "un sueño", de que despierta el hombre cuando pasa al más allá, "cuando se vuelve espíritu o dios". En el mundo inferior el muerto continúa su vida. El viaje a Mictlan no pasa de ser un viaje a algún lugar de que ya se ha oído hablar... La idea de dotar al difunto de todo lo necesario, de protegerlo contra demonios hostiles que pudieran agredirlo, dio lugar entre los totonacas a dos tipos extraños y singulares de formas escultóricas: a las palmas y los yugos. El yugo, un óvalo de piedra, generalmente abierto de un lado, que servía para rodear con él la cabeza del difunto —como lo muestra la serie de dibujos del Códice Magliabechiano (hoja 67)—, ya existía en la Cultura de La Venta. Pero ¡qué hicieron de él los totonacas! Figuras y ornamentos se hallan entrelazados en curvas rítmicas. Los motivos indican la finalidad a que estaba destinado: proteger al muerto por medio del conjuro mágico. Las representaciones preferidas son la rana, símbolo de la diosa de la tierra, devoradora del cuerpo humano; el buho, encarnación de los espíritus malignos (Fig. 18); el águila que sube al alma del difunto hacia el cielo del dios solar, y la serpiente emplumada. Los planos ovalados de los yugos, de unos cuantos centímetros de altura, y las palmas —objetos que se ensanchan hacia arriba en forma de hoja de palmera, y en los cuales sobresale del fondo una figura esculpida en alto relieve o de bulto redondo (Fig. 19)— son estructuras extrañas, casos espinosos, de ardua solución artística, para el escultor, que supo resolverlos admirablemente, con un instinto certero para las posibilidades expresivas de la escultura.

No menos extraño es el tercer tipo desarrollado por el arte totonaca: el hacha votiva (Figs. 16 y 17). En las hachas el problema del escultor consistía en organizar dos representaciones en relieve dentro de las dos superficies, idénticas, de una masa pétrea que se aguza en forma de cuña. Lo que vemos esculpido en ellas son casi siempre cabezas humanas o, mejor dicho, contornos de cabezas humanas, que forman algo como un marco en torno a signos y ornamentos de índole mítica. El hacha no pertenece a los objetos empleados en el culto a los muertos. Es, traspuesta a la piedra, el hacha del dios de la lluvia, de que se sirve para abrir el camino a las nubes cargadas del valioso líquido. Una insignia del poder, de la dignidad. El pensamiento mágico se forja símbolos. La imagen figurativa tiene otro sentido, un sentido muy distinto que no interesa al mundo —tampoco al mundo artístico— del México antiguo.

*　*　*　*　*

La concha del caracol marino, material proporcionado en abundancia por el mar, sirve a los huastecas para crear maravillosas obras de arte. Su creación monumental es la figura pétrea de Quetzalcóatl —de un Quetzalcóatl efebo— que, convertido en lucero vespertino, baja al mundo inferior, llevando consigo al reino de los muertos a su hijo, el sol que se pone (Figs. 23 y 24). De concha labran, magistralmente, pectorales y orejeras: exquisitas joyas, de fascinante delicadeza. Beyer (*Shell ornament sets from the Huasteca* en *Middle American Papers*, núm. 5) opina que son obra de los huastecas todos los trabajos de concha del México antiguo, aun los encontrados en regiones remotas, adonde, según él, llegaron como objetos del comercio de trueque. También atribuye a los huastecas todas las deidades que llevan como atributo alguna joya de concha nacarada, o en forma de concha. Una de ellas es Quetzalcóatl, cuyo pectoral es la sección transversal de una concha de caracol marino y cuyas orejeras tienen forma de "concha torcida". También el gorro cónico que lleva y que constituye una peculiaridad característica de la escultura huasteca, es indicio de que fue en aquella región donde se concibió el concepto del dios sacerdote. Tlazoltéotl, que lleva en la representación del Códice Borgia un pectoral de nácar, era la diosa de la fecundidad de los huastecas y, asimismo, la diosa de la voluptuosidad y la paridora. La Meseta Central la adoptó bajo el nombre de Teteo innan. También habría que mencionar aquí a Pantécatl, deidad del pulque, y a Mixcóatl, dios chichimeca de la caza.

En los pectorales —trapecios estrechos de diez a veinte centímetros de largo— se hallan esculpidas escenas mitológicas. Con frecuencia las figuras presentan huecos, "vacíos plásticos", con lo que surgen contrastes acusadamente escultóricos, a pesar de lo plano de la representación. Casi en todas esas obras, designadas por Toscano (*Arte Precolombino de México*) como "códices en concha", vemos a dos deidades, una al lado de la otra, sobre una especie de zócalo formado por dos serpientes entrelazadas.

En el pectoral del Museo Nacional de México, los dioses representados son Mixcóatl y Tlazoltéotl (Fig. 90).

* * * * *

A uno de los azares que desempeñan tan importante papel en la arqueología: al descubrimiento de una tumba no previamente saqueada, le debemos que se conozca la perfección artística y técnica de los orfebres prehispánicos. Me refiero a la Tumba siete de Monte Albán, en que Alfonso Caso encontró, en 1932, la ofrenda que se había llevado a su sepulcro un grande mixteca, evidentemente un Sumo Sacerdote: centenares de joyas de oro, de plata, de cobre, de jade, concha, cristal de roca, alabastro y otras piedras preciosas. Collares, anillos, orejeras, bezotes, brazaletes — todo un museo de orfebrería (Fig. 92). Ya anteriormente se habían rescatado unos cuantos trabajos de oro, igualmente de origen mixteca: aquel pectoral de Yanhuitlán, en forma de escudo, en que está incrustada una greca escalonada de turquesas, dos pendientes decorados con la efigie de Xiuhtecuhtli, dios del fuego, y, sobre todo, los hallazgos hechos por Edward Herbert Thompson en las postrimerías del siglo pasado, en el Cenote Sagrado de Chichén Itzá. Hacia el Cenote Sagrado, alrededor del cual se construyó ese centro religioso que era Chichén Itzá, peregrinaban los fieles desde regiones remotas para granjearse, mediante sacrificios, la benevolencia del dios de la lluvia. "En este pozo —relata Landa (*Relaciones de las Cosas de Yucatán*)— han tenido y tenían entonces costumbre de echar hombres vivos en sacrificio a los dioses en tiempo de seca y tenían por cierto que no morían aunque no los veían más. Echaban también otras muchas cosas de piedras de valor, y cosas que tenían preciadas". Este pasaje y otros parecidos de las demás crónicas, excitaron la fantasía del cónsul de los Estados Unidos. Empezó a dragar el pozo, y después de varios esfuerzos infructuosos encontró las joyas hundidas en el cenote: trabajos en oro, cobre y jade; cascabeles —emblemas del dios de la lluvia—, máscaras, pendientes, brazaletes, anillos, botones, hachas ce-

63

remoniales, etc., que hoy día se hallan en su mayor parte en el Museo Peabody de la Universidad de Harvard. Muchas de esas obras, como observa Morley, (*La Civilización Maya*) no procedían de la región sino "fueron traídas a Chichén Itzá desde puntos tan lejanos como Colombia y Panamá en el sur y el Estado de Oaxaca y el Valle de México en el norte". De los escritos de Bernal Díaz del Castillo, Sahagún, Motolinía, Las Casas y de las cartas del propio Cortés, se conocían descripciones llenas de entusiasmo y de intenso asombro ante la perfección artística que esos "salvajes" habían logrado dar a sus joyas. Es cierto que casi nada ha quedado de aquellas preciosidades. Víctimas de la insaciable sed de oro de los conquistadores, casi todas ellas acabaron en los crisoles europeos, para contribuir al pago de las deudas del Rey de España y al financiamiento de sus guerras. Mencionemos de paso que en el México antiguo el jade se apreciaba más que el oro, quizá por las virtudes mágicas que se le atribuían.

El inmenso tesoro de oro de Moctezuma se repartió. En la "noche triste" los soldados de Cortés en desbandada trataron de llevarse su parte del botín, lo que a muchos les costó la vida. La pesada carga no les permitió moverse libre y rápidamente, y se ahogaron en el Lago de Texcoco. Según las tradiciones, que tal vez no pasan de ser leyendas, los aztecas lograron esconder parte de aquellas riquezas, motivo del tormento que a iniciativa de Aldereta se dio a Cuauhtémoc. Hasta ahora no se ha encontrado huella alguna del tesoro de Moctezuma. Podemos suponer que las joyas de que se componía provenían sobre todo de Atzcapotzalco, gran centro de orfebrería.

Parece que el arte de fundir y labrar metales no se inventó hasta el siglo X d.d.C. Sahagún, en su *Historia General de las Cosas de la Nueva España*, describe las técnicas empleadas, sobre todo la de la cera perdida. Otros procedimientos de que se servían los pueblos del México prehispánico eran el martillaje, la filigrana, el repujado y la confección de delgadas láminas de oro que se modelaban y ornamentaban.

Los mixtecas, creadores de las joyas encontradas en la Tumba siete de Monte Albán —joyas que actualmente llenan toda una sala del Museo de Oaxaca—, eran artífices sutiles de gran sensibilidad artística, que sabían dar a todo cuanto salía de sus manos la más alta perfección y delicadeza. Sus códices son deliciosa pintura miniaturista. Alfonso Caso (*Trece obras maestras de la arqueología mexicana*) dice de su cerámica ritual que "es la más bella que se produjo en México". Los treinta y cinco huesos de jaguar hallados en la Tumba siete, presentan relieves en superficies diminutas, de tres o cuatro centímetros de anchura: un arte de relieve de la más elevada categoría. En las escenas grabadas en ellos se narran el mito y el acaecer mítico. Se sabe con seguridad que era mixteca el pez de plata con incrustaciones de oro que Carlos V regaló al Papa y que Cellini hizo objeto de toda una investigación, sin poder averiguar el procedimiento de su fabricación. Y es posible que también hayan sido mixtecos los áureos tesoros que Durero vio en la corte del Emperador Maximiliano y que le causaron tan profunda admiración que en una de las cartas de su viaje a los Países Bajos, del año 1520, observa: "En mi vida he visto nada que conmueva el corazón como estos objetos".

Lo peculiar en esas joyas de la Tumba siete es lo que en ellas se representa y, aún más, lo que no se representa. Lo que no se representa es lo profano y lo bonito —todo aquello que inventaba la fantasía de los orfebres del mundo antiguo, tanto del Asia como de Europa, para provocar con el recuerdo de fenómenos agradables y placenteros —flores, pájaros, *putti*, escenas de caza, parejas de amantes embelesados— emociones que prestaran atractivo a la alhaja. En las joyas de Monte Albán aparecen símbolos míticos. De las cuatro placas de que se compone uno de los pectorales, la de arriba representa el juego de pelota, y en las otras vemos el disco solar, la mariposa y las fauces de la tierra, signo del inframundo. El remate inferior lo forman cascabeles. Hay un anillo decorado con el águila descendente y collares compuestos de pequeñas calaveras de oro.

En los pectorales figuran los diversos númenes: el dios de la muerte, el del maíz, el del fuego y Xochipilli, el dios de las flores. A su protección se encomendaba la persona que los llevaba. En lo demás, las formas son puramente abstractas: cascabel, esfera, cilindro. El espíritu y la espiritualidad con que están combinadas y contrastadas estas formas con otras de distinto volumen plástico, es lo que da a las joyas de Monte Albán aquella nobleza artística que el francés suele llamar *grand goût*.

* * * * *

La cerámica es en Mesoamérica la más antigua forma de expresión plástica, y la más divulgada. Hasta ahora no se ha podido comprobar en suelo americano ninguna población que no haya conocido este arte (Vaillant, *La civilización azteca*). Los *basket-makers,* establecidos en la región del actual Estado norteamericano de Nevada, tejían, con fibras, canastas de diversas formas y las cubrían por dentro con arcilla que dejaban secar al sol. La impresión de las fibras trenzadas en la masa blanda fue la primera ornamentación cerámica. Con el invento de la cocción del barro, ese genial invento del hombre primitivo, gracias al cual la forma modelada se vuelve sólida e impermeable para líquidos, se dispuso de un material apropiado para que se desarrollara en él la potencia creadora y el ingenio artístico del hombre.[5]

[5] También la madera se usaba para producir creaciones plásticas. Sahagún anota en la descripción del Templo Mayor de Tenochtitlán que en el edifico vigésimoquinto estaba sobre la pirámide "una estatua del dios que llamaban Omácatl, hecha de madera". Hablando de los Amantecas, los artífices que confeccionaban los mosaicos de plumas, dice que "hicieron una estatua de madera labrada... y edificáronle un 'cu' (un templo) en su barrio". Se debe a las condiciones climáticas y a la naturaleza del suelo que casi todas esas obras hayan desaparecido. No son sino unas cuantas que se han conservado: de las regiones de los nahuas y de los mixtecas, algunos *átlatl* (tiraderas para lanzar dardos), diferentes instrumentos de mú-

Con la vasija, humilde instrumento doméstico, nacida de la necesidad de cocinar y guardar alimentos y bebidas, empieza un desarrollo que da lugar a la creación de obras variadas y en muchos casos grandiosas. La asombrosa habilidad manual del indígena lo hace inventar las más diversas técnicas de decoración: la decoración incisa, grabada, policromada, en relieve, estampada mediante sellos, modelada sobre el fondo en forma de relieve, etc. Crea vasos ceremoniales, sahumadores, braseros adornados con representaciones simbólico-religosas: objetos rituales de configuración artística. En la urna guarda las cenizas de sus difuntos. Vasijas hechas imágenes antropomorfas y zoomorfas manifiestan su voluntad de paralizar la influencia de los espíritus malignos.

El suelo ha conservado fielmente los restos cerámicos de todas las épocas, pues la cerámica es frágil, pero imperecedera. Esto la ha convertido en importante auxiliar para determinar la sucesión cronológica de las diferentes civilizaciones. La clasificación según "tipos" que predominan en determinadas regiones, épocas, culturas, se ha aprovechado para edificar todo un complicado sistema científico, que ofrece sólidos puntos de apoyo en que basar una reconstrucción del desarrollo histórico. Aquí no vamos a entrar en detalles de esta ciencia.

En ninguna parte, ni siquiera en China, clásico país de la cerámica, la fantasía creadora del hombre ha inventado tantas formas de vasijas como en el México antiguo. En cuanto creación plástica, la vasija no ha despertado hasta ahora el interés que merece, salvo esas obras excepcionales que por su decoración de singular valor artístico o por el simbolismo de ésta han escapado al juicio despectivo —una vez más, prejuicio inculcado por la estética del siglo XIX— de quienes la consideran "arte menor". La vasija es un fenómeno artístico y de primera categoría. Y

sica (teponaxtles y atambores adornados con relieves), varias esculturas de tamaño pequeño y, en la zona maya, la creación mas importante de ese material: un dintel del Templo IV de Tikal, conservado en el Museo Etnográfico de Basilea.

no basta pensar solamente en aquellas obras cumbre: también las modestas vasijas de uso doméstico son en muchos casos de alta y altísima calidad, son en muchos casos obras de arte. En la rica variedad de sus formas reflejan el sesgo de la voluntad artística y la potencia expresiva de la comunidad que las produjo.

Lumholtz reproduce el interior de una jícara votiva, consagrada a la "diosa de las Nubes Orientales" de los huicholes, que todavía estaba en uso en tiempos de su expedición, o sea a fines del siglo pasado. La fotografía de la superficie circular muestra una serie de manchas ovaladas. Dice Lumholtz: "... el adorno [de la vasija] representa una súplica para que la cosecha sea abundante. Las manchas que aparecen en el interior son aplicaciones de cera a que se han adherido cuentas blancas y azules como emblemas del maíz. La idea que impulsa a los huicholes a hacer tales ofrendas es que los dioses, cuando llegan a usar sus escudillas, se beben las plegarias del pueblo, por lo que consideran dichos utensilios como los mejores conductos para que sus súplicas lleguen a su destino, y cada familia posee su jícara votiva que lleva consigo al campo cuando van a cazar venados, a plantar grano, etc."

Datos de este tipo no son extraños para quienes partimos, en el estudio de la ornamentación antigua mexicana, del "valor de esencia" de la forma. La dependencia del hombre de demoníacas fuerzas naturales y su constante necesidad de protección mágica, dieron lugar a la creación de formas ornamentales simbólicas, que aparecen en todas partes, sea en calidad de mediadoras entre el hombre y el numen (como en el caso de la jícara votiva de los huicholes), sea como talismanes destinados a desviar peligros. No sólo se decora con ellas la vasija ritual, sino también la doméstica. El hombre no puede prescindir de aquella protección, ni siquiera en las actividades más humildes de la vida cotidiana: cuando va por agua, cuando prepara la comida, cuando come o bebe. La greca escalonada (Xicalcoliuhqui), que hay que considerar una especie de talismán contra la muerte, era el ornamento predilecto también en la cerámica; los aztecas hasta la llamaban la "voluta de las jícaras".

Lo que el hombre de la civilización occidental, educado durante siete centurias para determinada actitud estética y dentro de ella, toma por creación puramente ornamental, fue para el mundo del pensamiento mágico expresión de vivencias metafísicas. De ellas hablan todos los objetos, por sencillos que sean: los enseres de cacería, la proa o el remo de la canoa, y la vasija. Así se aclara con toda probabilidad por qué abundan tanto en la decoración de las vasijas las respresentaciones, en relieve o pintadas, de animales simbólicos, de dioses o signos mitológicos. Esas representaciones no son mera decoración, no es su única función "embellecer" el objeto: en ellas se halla expresado el fin a que sirven. La forma del objeto no es forma funcional en el sentido contemporáneo; es decir, no es la forma que garantiza un manejo lo más práctico posible. Para el hombre arraigado en el mito y la magia, el objeto es sólo útil, es sólo "funcional", si le sirve para encomendarse a la protección de las potencias cósmicas de las cuales depende su existencia.

En todas las culturas del México antiguo se emplea la arcilla para dar expresión plástica a las concepciones mágicomíticas de la colectividad. Se modelan imágenes de deidades, fetiches de fecundidad, símbolos animales —las mismas imágenes que existen esculpidas en piedra, distintas solamente por la índole del material. Si no fuera por la cerámica, no sabríamos nada de la creación escultórica en las culturas preclásicas, entre los pueblos del Occidente de México, entre los zapotecas. En los tiempos arcaicos y, más tarde, entre los tarascos, se crean obras profanas, imágenes de hombres y animales, escenas de "género", que dan fe de una asombrosa observación de la realidad. Estas representaciones desaparecen en la cultura teotihuacana, en la maya y la zapoteca, cuando se impone una nueva actitud artística: la creación de formas simbólicas.

OTHER ANCHOR BOOKS OF INTEREST

ART (including ARCHITECTURE)

ANCIENT CIVILIZATION

EUROPEAN HISTORY

OTHER ANCHOR BOOKS OF INTEREST

PHILOSOPHY AND RELIGION

OTHER ANCHOR BOOKS OF INTEREST

WRIGHT, G. ERNEST, & FREEDMAN, DAVID NOEL, eds. The Biblical
    Archaeologist Reader, A250
——————, & FULLER, REGINALD The Book of the Acts of God, A222

MYTHOLOGY AND LEGEND

BEDIER, JOSEPH The Romance of Tristan and Iseult, A2
COULANGES, FUSTEL DE The Ancient City, A76
FRAZER, J. G. The New Golden Bough, Ed. Gaster, A270
KRAMER, SAMUEL NOAH, ed. Mythologies of the Ancient World, A229
MALINOWSKI, BRONISLAW Magic, Science and Religion, A23
MURRAY, GILBERT Five Stages of Greek Religion, A51
MURRAY, MARGARET The God of the Witches, A212
VIRGIL The Aeneid of Virgil, Trans. Day Lewis, A20
WESTON, JESSIE L. From Ritual to Romance, A125

ANTHROPOLOGY AND ARCHAEOLOGY

ALBRIGHT, WILLIAM FOXWELL From the Stone Age to Christianity,
    A100
BENDIX, REINHARD Max Weber: An Intellectual Portrait, A281
COULANGES, FUSTEL DE The Ancient City, A76
CROSS, FRANK MOORE, JR. The Ancient Library of Qumran, A272
FLORNOY, BERTRAND The World of the Inca, A137
FRANKFORT, HENRI The Birth of Civilization in the Near East, A89
FRAZER, J. G. The New Golden Bough, Ed. Gaster, A270
GASTER, THEODOR H. The Dead Sea Scriptures, A92
KRAMER, SAMUEL NOAH History Begins at Sumer, A175
——————, ed. Mythologies of the Ancient World, A229
MALINOWSKI, BRONISLAW Magic, Science and Religion, A23
MURRAY, MARGARET The God of the Witches, A212
WESTON, JESSIE L. From Ritual to Romance, A125
WRIGHT, G. ERNEST, & FREEDMAN, DAVID NOEL The Biblical
    Archaeologist Reader, A250